JN016946

英語
プレゼン
最強の
教科書

チャールズ・ルボー 著

Power
Presentation

はじめに

なぜこの本がオススメなのか?

私のプレゼンテーション（以下プレゼン）の講義を受ける受講者の多くは「プレゼンの質は、英語力の質に依存する」と考えているようです。しかし、決してそうではありません。

私はこれまで、拙い英語でありながらもすばらしいプレゼンを行う人々を見てきましたし、一方で非常に流暢な英語でもつまらないプレゼンを行う例も散々見てきました。

英語はプレゼンの一部に過ぎず、最も重要な部分ではありません。英語力に関係なく、すぐにすばらしい英語のプレゼンを行うことができるようになること。それがこの本の目的です。

プレゼンにおける4つのメッセージ

プレゼンは次の4つのメッセージで構成されています。

❶ The Story Message
ストーリー・メッセージ

プレゼンを構成し、サポートするストーリーです。興味深いストーリーとなるように情報を並べ換えたり、工夫しましょう。

❷ The Visual Message
ビジュアル・メッセージ

スライドなど、聞き手に見せるビジュアルとその説明のことです。

③ The Physical Message
フィジカル・メッセージ

ジェスチャーやアイ・コンタクトなど、聞き手に訴えるボディ・ランゲージのことです。

The Verbal Message
ヴァーバル・メッセージ

口頭で聞き手に語りかける言葉（英語）によるメッセージのことです。英語力に直結しています。

これらの4つのメッセージを伝えるときに英語力は果たしてどれほど重要でしょうか？　これらのメッセージの伝達力においてあなたの英語力がどれほどの役割を果たしているかを確認してみましょう。

話者のタイプ別によるメッセージの扱い方

バラク・オバマ（スピーカー）

スピーカーが聴衆に語りかけるいわゆる「スピーチ」では、ビジュアル・メッセージは使われません。ストーリーとヴァーバル・メッセージを中心に言葉で訴えます。

スティーブ・ジョブズ（プレゼンター）

優れたプレゼンターであったスティーブ・ジョブズは、ストーリーと同様にビジュアル・メッセージの扱い方も抜群でした。

あなた（パワー・プレゼンター）

「パワー・プレゼンテーション」ではヴァーバル・メッセージを抑え、その他のメッセージを駆使して聞き手に語りかけます。

The **Story** Message

すばらしいストーリーは、日本語であろうが英語であろうが同じくすばらしいストーリーです。すばらしいストーリーは言語にかかわらず、プロットが練られているからすばらしいのです。

もしあなたがNHKドラマや小説、映画が好きなら、ドラマチックで面白いプレゼンを作成する方法を本書で学ぶことができます。まずは日本語でプロットを練ってから、その物語をプレゼン形式に落とし込む方法をこの本は示しています。現在の英語レベルには関係なく、すぐにすばらしいストーリー・メッセージを作成できる可能性すらあります。ストーリー・メッセージの作成は思考スキルであり、英語のスキルではないのですから。

The **Visual** Message

One picture is worth a thousand words（一枚の絵は千の言葉に値する）という表現をご存知でしょうか？　それをプレゼンに当てはめると、適切なビジュアルを使用すると、言葉を大幅に減らし、発言を簡素化できるということになります。

この章では、言葉ではなく、イメージの観点からプレゼンを考える方法を解説します。簡単な英語でビジュアルを説明するための4段階のテクニック「show and tell」(見せて話して）もご紹介します。「tell and show」(話して見せて）ではないのでご注意ください。スピーチは話者が話す言葉によって成り立ちますが、プレゼンの場合は発表者が提示するビジュアルによって成り立っています。つまり、優れたプレゼンターになるためには優れたスピーカーである必要は必ずしもありません。マーティン・ルーサー・キング・ジュニアは優れたプレゼンターではなく、優れたスピーカーでした。オバマ元大統領もプレゼンターというより、講演者（スピーカー）として有名です。

この本を手に取ったあなたはスピーチ・メーカーになるのではなく、優れたプレゼンターになることが目的のはずです。言葉で伝える能力よりも、視覚で伝える能力のほうが重要なのです。くり返しますが、この本が提唱するパワー・プレゼンテーションとは思考スキルであり、言語スキルではありません（スピーカー、プレゼンター、およびパワー・プレゼンターのメッセージの扱い方のちがいを示したp.3の図を参照してください）

The **Physical** Message

フィジカル・メッセージとはボディ・ランゲージのことです。ボディ・ランゲージは、本質的に非言語的であり、英語力とは関係ありません。したがってこの本の助けを借りることで、現在の英語力に関係なく、フィジカル・メッセージの力を大いに伸ばすことが可能です。この章ではフィジカル・メッセージの使い方について解説します。フィジカル・メッセージを使いこなせば、あなたの英語力を補い、プレゼンをより強化することができますよ。

The **Verbal** Message

英語を学ぶのは長くて時間のかかるプロセスです。しかし、来週プレゼンを行う必要がある場合、英語力を大幅に向上させるのに十分な時間はありません。数年前、私は日本IBMで2日間のセミナーをしていました。当時、TOEICスコアが400点未満の「阿部さん」と呼ばれる受講者がいました。しかし、彼は重要なプレゼンを行うためにニューヨークのアーモンクにあるIBMの本社に4日後に行くことが決まっていました。彼は2日間の私のセミナーを懸命に受講しました。ストーリー・メッセージ、フィジカル・メッセージ、ビジュアル・メッセージなど、彼がすぐに改善できる点に焦点を当てました。また同時に私は彼にヴァーバル・メッセージを制御し、ごくシンプルな英語でプレゼンする方法を教えました。

阿部さんがニューヨークから戻ると「プレゼンが成功し、プロジェクトが承認された」と私に伝えてくれました。そのプレゼンではエグゼクティブの副社長のひとりからこんな興味深い感想が寄せられたというのです。「私が経験した中でも最高のプレゼンでした。もっとも発音の改善に取り組む必要はありますが（笑）」と。つまり英語レベルに関係なくすばらしいプレゼン、成功したプレゼンを行うことは十分に可能なのです。

ここまでのまとめ

この『英語プレゼン　最強の教科書』（Power Presentation）は何のための本なのでしょうか？　この本では、ストーリー、ビジュアル、フィジカルの3つのメッセージの可能性を最大限に引き出す方を解説しています。同時に、言葉を使ったヴァーバル・メッセージを最小限に抑え、シンプルな英語で話す方法についても説明します。この本を読んで優れたパワー・プレゼンターをめざしましょう！

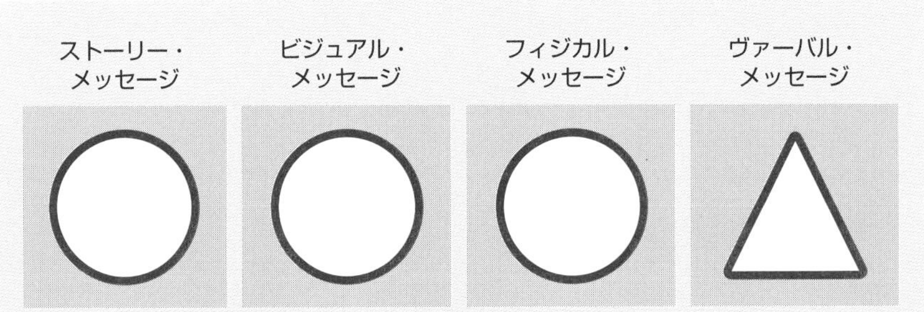

この本では、ストーリー、ビジュアル、フィジカルという3つのメッセージの力を最大限に活かし、英語を話す労力を最小限にする「パワー・プレゼンテーション」について解説します。「今の自分の英語力に関係なく、プレゼン能力を最大限に高めること」こそがこの本の目標です。

TEDトークを分類してみよう！

TEDトークは優れたリソースと言えますが、TEDトークの中にはストーリー、フィジカル、ヴァーバルの3つのメッセージしか含まない「スピーチ」タイプのものもあります。そのような「スピーチ」は今回あなたが目指す目標ではありません。それ以外のTEDトークに関してはこれら3つのメッセージとビジュアル・メッセージも含む「プレゼン」と言えるものもあります。

以下の①〜⑤のTEDトークをご覧ください（トーク全体を見る必要はありません。最初の数分だけで十分です）。スピーチとプレゼンのどちらに当てはまるか、下のボックスをチェックしてください（英語の内容をすべて理解する必要はありません。それがスピーチかプレゼンかを決めるだけです）。最初の①の動画ではあなたのためにすでにチェックを入れておきました。

TED トーク	スピーチ	プレゼン
①ラリー・スミス「あなたに夢の仕事ができない理由」	☑	☐
②チャールズ・ブラウン「言葉の力」	☐	☐
③ケン・ロビンソン「学校教育は創造性を殺してしまっている」	☐	☐
④ジョン・マエダ「アート、テクノロジー、デザインから創造的リーダーが学べること」	☐	☐
⑤マニュエル・リマ「人類の知識を表す視覚的表現の歴史」	☐	☐

上の動画をさっと見てみて、これらのTEDトークの中で、あなたにとって一番インパクトがあったのはどれですか？　どれが一番わかりやすかったですか？　どれが最も覚えやすかったですか？　またその理由は何でしょうか？

Contents

音声を聞くには？

Langoo のスマホアプリをダウンロードすることで
音声を聞くことができます。

ダウンロード音声の再生は無料です。

会員登録が必要になります。

iPhone

をお使いの方は
右の QR コードより
ダウンロード

Android

のスマホをお使いの方
は右の QR コードより
ダウンロード

ダウンロード後の手順

①スマホのホーム画面で Langoo アプリを起動した後、
「アカウント登録」を行います。

②ログイン後、『英語プレゼン』で検索してください。

＊別途販売のアプリ学習（電子書籍）は有料になります。

＊アプリに関するお問い合わせはアプリ制作元のLangooにメールまたはフォーム記入でお願い致します。

また、本書の音声は下記のコスモピアの YouTube サイトでも
聞くことができます。
https://bit.ly/3gmOwCf

The Story

第1章

ストーリー・メッセージ

第１章でわかるプレゼンの構成

1. オープニング
2. 理解してもらう
3. 同意してもらう
4. 弱点をフォローする
5. クロージング

Message

No music, no life.

音楽がない人生なんて。

—— Tower Records タワー・レコード ——

No Story, no presentation.

ストーリーがないプレゼンなんて。

—— Power Presentation パワー・プレゼンテーション ——

ストーリー・メッセージとは？

よく練られた、秀逸なストーリーは万人受けします。ですから私たちはみなストーリー・テラーとして成長し、ストーリーを通じて重要な情報を伝えられるようになるのが望ましいでしょう。私たちの脳はストーリー仕立ての形式でこそ最も効率よく情報を処理することができますし、プレゼンターにとって最も重要なのは、聞き手にストーリーを気に入ってもらって覚えてもらうことなのです！

ストーリーはさまざまなメディアを通じて語られます。映画はフィルムを使いますし、本は言葉を書いて紙に印刷して作られます。そして、プレゼンはスライドを使用します。

第1章では、ストーリー・メッセージの作成方法について解説します。次の章の「ビジュアル・メッセージ」では、スライドを使ってストーリー・メッセージをプレゼンに変換する方法を解説します（このセクションでもスライドを使用しますが、ストーリー・メッセージに照準を合わせるために、この章のスライドの多くはできるだけシンプルな単語の羅列になっています）。

ストーリーは5部構成で考えよう！

私はよく日本の社会人や大学生に「ストーリー・メッセージとは何ですか？」と尋ねるのですが、多くの学生が「序論・本論・結論」と答えます。確かに、ネイティブ・スピーカーがプレゼンを習う場合はそうです。しかし、この本はネイティブ・スピーカー向けの本ではありません。残念ながらネイティブのプレゼンターに有効な方法が非ネイティブのプレゼンターにも常に役立つとは限らないのです。「序論・本論・結論」という概念はネイティブではないプレゼンターにとってあまりにも漠然としていて、抽象的過ぎるように思います。そこには具体的な手順や構成がありません。ストーリー・メッセージは、5部構成のドラマや芝居のように考えるのがベストです。ストーリー・メッセージの基本的な流れは次のようになります。

第1部 **The Opening Act** オープニング
第2部 **Getting Understanding** 理解してもらう
第3部 **Getting Agreement** 同意してもらう
第4部 **Dealing with Weaknesses** 弱点をフォローする
第5部 **The Closing Act** クロージング

次のページから、それぞれについて確認していきましょう。

第1部 The Opening Act オープニング

それでは、それぞれについて詳細を見ていきましょう。

スティーブン・スピルバーグはストーリー・テラーの名手です。スピルバーグは映画の冒頭で巧みに私たちの注意を引きます。映画『ジョーズ』のオープニングの、サメの攻撃シーンを思い出してみてください。また、インディ・ジョーンズシリーズの1作目『レイダース／失われたアーク《聖櫃》』の冒頭で寺院が襲撃されるシーンや、『プライベート・ライアン』冒頭のノルマンディー上陸作戦のシーンも見逃せません。スピルバーグはオープニングシーンで観客の注意を引く方法を知り尽くしています。

課題 好きな映画の冒頭シーンを思い出してみよう！

あなたが本当に好きな映画について考えてみてください。オープニング・シーンはどうでしょう？　それはあなたの注意を引きましたか？

ハリウッド映画の冒頭シーンと同様に、プレゼンの第1部ではまず聴衆の興味を引く必要があります。最初の1分間で聴衆の興味を引くことができなければ負けです。これは誇張でも何でもありません。1分間です。最初の1分で聴衆の興味を引くことができなければ、そこで終了です。本題に入る前に終了なのです。関心をなくした聴衆はスマートフォンをチェックしたり、窓の外を眺めたり、ランチに何を食べるかぼんやり考えたりし始めてしまうことでしょう。そうならないために、第1部で聴衆の興味を引くための手順は、次の4つのステージに分かれます。

- **Stage 1** あいさつをする
- **Stage 2** プロットを話す
- **Stage 3** 話にフックをつける
- **Stage 4** 概要を提示する

> **プレゼンの鉄則**
> 1分間の法則：冒頭の1分で聞き手の心をつかもう！

それぞれについて確認していきましょう。

Stage 1 あいさつをする

まずは聞き手にあいさつしましょう。しかし、つまらないあいさつではダメです。誇張でも何でもなく、優れたプレゼンの最大の秘訣は「つまらないことを言うな！」の一言に尽きます。自分語りから始めないでください。つまらないですから、長い自己紹介はやめましょう。言葉数を減らし、できるだけ英語を少なくしましょう。自己紹介などのミニスピーチも厳禁です。次に挙げるのは悪い見本です。

Ladies and Gentlemen, good morning. I am so pleased to be here. My name is Charles Kelsey Alvin LeBeau Jr. But my friends just call me Charles. First, a little bit about me... who is Charles? I have been in Japan for over thirty years, but originally I am from a small college town on the west coast of the United States. For more than 25 years I was on the faculty of Toshiba's International Training Center. My title there was Senior Instructor, but I am just a regular guy. Ha, ha! To start with, I would like to begin with a little joke...

ご列席のみなさま、おはようございます。私はここにいられてとてもうれしく思います。私の名前はチャールズ・ケルシー・アルヴィン・ルボー・ジュニアですが、友達は私をチャールズと呼びます。まず、私について少し……チャールズとは何者か？　私は30年以上日本に住んでいますが、もともとはアメリカ西海岸の小さな大学の町出身です。25年以上にわたって東芝の国際研修センターの部門に所属していました。肩書きはシニア・インストラクターでしたが、私はいたって普通の男です。ハ、ハ、ハ！　まず、ちょっとしたジョークから始めたいと思います……。

無駄な言葉が多過ぎる！
これはプレゼンテーションなの？　スピーチなの？

つまんない！
本題と関係なし、興味ない！
時間の無駄！

プレゼンの鉄則

冒頭でつまらない自己紹介をしない！

あれってジョークなの？
意味わかんないんだけど。

私は商品に興味があって来たのよ。
彼の話を聞きに来たんじゃないわ。

スティーブン・スピルバーグの映画で、スピルバーグ監督自身の自己紹介やモノローグから始まる映画があると思いますか？　もちろん、そんな映画はあり得ません！　映画館に足を運ぶ客は映画を見に来ているのであって、スピルバーグ監督の自分語りや彼の友達が彼を何と呼ぶかなんて気にしません。映画を見たいだけなのです。

同様に、聴衆はあなたのプレゼンを見に来ているのです。プレゼンの内容に関係のない退屈な自己紹介を聞きに来たのではありません！「あなた」はスターではありません。「あなたのプレゼン」こそがスターなのです。あなたはサポートする役割でしかありません。

Column

なぜ自己紹介や自分語りはNGなのか？

第一に、自己紹介はスピーチです。ネイティブではないプレゼンターは避けるべきです。聞き手を苦しめないでください。あなたはスピーカーではなく、プレゼンターなのです！

第二に自己紹介は通常プレゼンとは関係がありません。あなたが相当な有名人でもない限り、あなたが何者かなんて聞き手は誰も気にしません。プレゼンでは、あなたのプレゼンこそが注目すべき「スター」なのです。

第三に、そもそも自己紹介は不必要です。聞き手の信頼を得るために自己紹介が必要だと考える方もいますが、印象的なオープニングで始めたほうがずっといいです。下手な自己紹介よりも印象的なオープニングのほうが観客にウケます。

ただし、プレゼンの内容に直接関連している場合は、自分について少しふれてもよいでしょう。エンジニアの進路について話すのであれば、自己紹介で自身のエンジニアとしての学位などにふれても構いません。逆に、ナノテクノロジーに関するエンジニア会議で短いプレゼンを行う場合、あいさつでエンジニアとしての学位について言及するのは得策ではないでしょう。会場に集まった全員がエンジニアの学位を持っているからです。ただし、鈴木博士や田中教授などどんな肩書きがついているかに言及するのはよいでしょう。

先ほどの悪い見本に登場したプレゼンター、チャールズはネイティブ・スピーカーでした。例え冒頭で退屈で関係のない話をしても、チャールズはネイティブ・スピーカーですから、その後、言葉巧みに語り、華麗なトークで挽回することも可能でしょう。しかし、ネイティブでないみなさんが無謀にも同じことに挑戦すると、聴衆は死ぬほど退屈してしまうでしょう。ですから、決してスピーチからプレゼンを始めないでください。それはネイティブ・スピーカーにとってすら困難なことです。冒頭で冗談を言うのも避けましょう。そんなことをするのは、優れたコメディアンにとってさえ至難のわざです。冒頭ではスピーチやジョークを避け、ハリウッドで言うところの**Cut to the chase**（本題に入る）をしましょう。

英語であいさつをするときの4つのステップ

あいさつは短く、シンプルに。英語での発言を最小限に抑えようというこの本の戦略を忘れないでください。実際、ネイティブ・スピーカーであっても、プレゼンで使う英語は実にシンプルです。短いあいさつに必要なのは、次の簡単な4ステップだけです。

ステップ 1 あいさつをする

Good morning! おはようございます！
Good afternoon! こんにちは！
Hello everyone! みなさん、こんにちは！

> **プレゼンの鉄則**
> できるだけシンプルな英語を使おう！

ステップ 2 名前を言う

My name is Akio Morita. 私の名前はモリタ アキオです。
My name is Professor Osumi 私はオオスミ教授です。
I'm Dr. Yamanaka 私がドクター・ヤマナカです。

ステップ 3 キーパーソンに感謝する

Thank you everyone for coming today.
本日はお越しいただきありがとうございます。

Thank you, Abe-san, for inviting me.
阿部さん、誘ってくれてありがとうございます。

Thank you, Mr. Gates for your kind introduction.
ゲイツ氏、ご紹介いただき、ありがとうございます。

I'd like to thank your organization for the opportunity to speak today.
本日お話しする機会をいただき、あなたの組織に感謝したいです。

ステップ 4 プロットを提示する

Today's topic is... 今日の話題は……。
My topic today is... 私の今日の話題は……。
This morning we will look at... 今朝、私たちが見ていくのは……。
In this session, we will discuss... このセッションで我々が議論するのは……。

最後にプレゼンの話題となる「プロット」を提示します。上記の4つのステップを踏襲するとシンプルなあいさつの見本は下記のようになります。

002

Good morning! おはようございます！

My name is Charles LeBeau.
私の名前はチャールズ・ルボーです。

Thank you everyone for coming.
みなさん、今日はお越しいただきありがとうございます。

Thank you Tanaka-san for your kind introduction.
田中さん、親切にご紹介いただき、ありがとうございます。

My topic today is... 今日の私の話題は……。

短く、シンプルな英語で話すことを心がけてください。文字にして25~35ワード、時間にして15秒~20秒程度のあいさつがよいでしょう。

課題 イメージ・トレーニングしてみよう！

少し時間を取って、あなたが行うプレゼンの聞き手のことを想像してみてください。彼らにどのようにしてあいさつしますか？　具体的には何と言ってあいさつするか、空欄を埋めてみてください。

ステップ1 あいさつをする	
ステップ2 名前を言う	
ステップ3 キーパーソンに感謝する	
ステップ4 プロットを提示する	

トヨタの豊田章男社長のスピーチを聞いてみましょう。スピーチの冒頭で、招いてくれた主催者に感謝の意を表明していることが確認できるはずです。

豊田章男　米国バブソン大学卒業式スピーチ「さあ、自分だけのドーナツを見つけよう」

ここまでのまとめ

- 聞き手を退屈させてはいけません。プレゼンの開始早々、聞き手をシラケさせないでください！
- 口頭で話すメッセージは最小限に抑えましょう。英語のあいさつは短く、シンプルにしてください。
- 次のあいさつの4つのステップをもう一度復習しましょう。

ステップ1 あいさつをする
ステップ2 名前を言う
ステップ3 キーパーソンに感謝する
ステップ4 プロットを提示する

さて、あいさつに関する解説を終えたところで、次のページからは「プロットを話す」、「話にフックをつける」、そして「概要を提示する」という手順に沿って聞き手の興味を引く方法について解説していきます。

Stage 2 プロットを話す

ストーリーの根幹はプロットにあります。プロットとは、大まかなストーリーの流れのことで、プレゼンの際にはトピック（話題）となるものです。例えば古典的で「王道」のプロットは以下のようになります。

1. 女性と男性が出会う
2. 彼らは恋に落ちる
3. ケンカして別れる
4. ヨリを戻し、幸せに暮らす

(おしまい)

映画では、プロットは映画の長さに応じてゆっくりと展開していきます。しかし、プレゼンではそういうわけにはいきません。すばらしいプレゼンでは、冒頭でプロットが事前に聴衆に知らされます。忙しいビジネスマンには、プレゼンの内容を把握するために10分も15分も待つような時間も忍耐力もありません。プレゼンの冒頭で秀逸なプロットを提示して初めて、彼らの注意を引くことができます。

映画のプロットを分析してみよう！

優れた映画にはよく練られたプロットがあります。もしもこれらの映画がプレゼンだとしたら、それらのプロットを示す文章はどうなるでしょうか？いくつか例を挙げていきましょう。

映画『アラジン』のプロット

Utilizing Genie Power to Save Jasmine's Kingdom

ジャスミンの王国を救うために、ジーニーの力を利用する

Presenter: Aladdin

プレゼンター:アラジン

映画『スター・ウォーズ』のプロット

Employing Death Star Technology to Crush the Rebellion
反乱軍を鎮圧するために、デススターの技術を採用する

Presenter: Darth Vader, Master, Dark Side of the Force
プレゼンター:ダーズベイダー、フォースの暗黒面のマスター

映画『レイダース / 失われたアーク《聖櫃》』のプロット

Utilizing Archeological Techniques to Find the Lost Ark
考古学の技術を使って、失われたアークを見つける

Presenter: Indiana Jones, Professor of Archeology
プレゼンター:インディアナ•ジョーンズ、考古学者

映画『美女と野獣』のプロット

Employing True Love to Overcome Magic Spells
真の愛を得て、魔法の呪文に打ち勝つ

Presenter: Belle
プレゼンター:ベル

『桃太郎』のプロット

Offering "Kibidangos" to Build Strategic Alliances
きびだんごをあげて、戦略的な提携を築く

Presenter: Momotaro
プレゼンター:桃太郎

課題 お気に入り映画のプロットは?

お気に入りの映画を思い浮かべてみてください。その作品がプレゼンだとしたら、プロットを表す英文はどうなるか、考えてみましょう。

プロット作成の構文とは？

ハリウッド映画には、プロットを作るための明確な構文があります。お気づきかもしれませんが、先述した映画のプロットを表す英文はすべて同じ構文で作られています。魅力的なプロットを作るための構文は下記のようになります。

003

	手段			目的	
	動名詞	目的語	to	動詞	名詞
1	Utilizing	genie power	to	save	Jasmine's kingdom
2	Employing	Death Star technology	to	crush	the rebellion
3	Utilizing	archeological techniques	to	find	the lost ark
4	Employing	true love	to	overcome	magic spells
5	Offering	"kibidangos"	to	build	strategic alliances

1. ジャスミンの王国を救うために、ジーニーの力を利用する
2. 反乱軍を鎮圧するために、デススターの技術を採用する
3. 考古学の技術を使って、失われたアークを見つける
4. 真の愛を得て、魔法の呪文に打ち勝つ
5. きびだんごをあげて、戦略的な提携を築く

このように映画などのプロットは「何らかの目的を達成するために、何らかの手段を用いる」または「何らかの手段を使って、何らかの目的を達成する」ことを表す「手段（動名詞＋目的語）」＋to＋「目的（動詞＋名詞）」の形式ですべて記述することができます。手段は「技術」に、「目的」は利益や成果と言い換えてもいいでしょう。これと同じ構文を使って、プレゼンの注意を引くプロットを作成することができます。次の例を見てください。

手段 / 目的　004

	動名詞	目的語	to	動詞	名詞
1	Using	intensive on-line study	to	increase	TOEIC scores
2	Implementing	Toshiba flash memory	to	create	the iPod touch
3	Utilizing	state-of-the art nano-technology	to	reduce	motherboard size
4	Moving up	the release date of next generation smart phones	to	grab	early market share
5	Increasing	production capacity of factories in China	to	meet	TV demand

1. TOEICの点数を上げるために、オンラインの集中学習を使う
2. iPod touchを作るために、東芝のフラッシュメモリーを実装する
3. 最先端のナノテクノロジーを利用して、マザーボードの大きさを小さくする
4. 次世代スマートフォンの発売日をずらして、初期の市場シェアをつかむ
5. 中国の工場の生産能力を向上させて、テレビの需要を満たす

場合によっては聞き手はあなたが提示する手段や技術自体には関心がないかもしれません。しかし誰しも「成果」には敏感です。**increase sales**（売り上げを伸ばす）、**save time or money**（時間やお金を節約する）、**make their job easier or faster**（仕事の能率を上げる）、**open up new business opportunities**（新しいビジネスチャンスを切り開く）、**make the environment better**（環境を良くする）、**create better learning opportunities**（学習成果を上げる）といった成果をあなたがどういう手段を用いて達成するつもりなのかというプロットには、聞き手も興味しんしんのはず。よってプレゼンの目的や成果を明確にしましょう。

課題 自分のプレゼンに当てはめてみよう！

ここで紹介した「手段 to 目的」の構文をあなたが実際に行うかもしれないプレゼンに当てはめ、あなたのプレゼンのプロットについて具体的に記述してください。あなたがプレゼンを行う目的と手段は何ですか？

動名詞	目的語	to	動詞	名詞

ここまでのまとめ

- 映画にプロットが必要であるように、プレゼンにもプロットが必要です。
- 聞き手は我慢強くありません。すぐにプロットを提示しましょう。
- プロットを作成するには、次の「手段 to 目的」の構文を使用します。
  動名詞＋目的語（手段）＋to＋ 動詞＋名詞（目的）
- プロット作成のための構文は、何らかの「手段」を用いて何らかの「目的」（成果）を達成する文だと言い換えることもできます。
- プレゼンの目的を明確にすることで聞き手の興味を引くことができます。

Column

なぜオープニングが最も重要なのか？

数年前、IBMが2日間のプレゼンセミナーで使用する研修資料として動画を撮影しました。当時日本で働いていたアメリカ人のIBM幹部へのインタビュー動画です。動画の中でアメリカ人幹部は次のように語りました。

「日本人のエンジニアが行う多くのプレゼンを見ることが私の仕事でした。大抵の場合、冒頭からプレゼンの要点がわかりません。そんなときは日本人のエンジニアに話すのをいったん止めてもらって、プレゼンの最後のスライドを見せてくれるように頼まなければなりませんでした。それでプレゼンの要点が理解できたら、そのまま話を続けてもらいます。そのようにできなければ、プレゼンターにはその場で去ってもらい、プレゼンの要点を事前に提示できるまで戻ってこないように指示しました」

この研修動画は、日本人のIBM社員のプレゼンの弱点を経営者視点から私が理解するのに役立ちました。まず第一に、日本人プレゼンターは幹部の関心を引く方法を知りませんでした。つまり、彼らのオープニングでのつかみはイマイチでした。冒頭から幹部が発表者の話を理解できなかったせいで、プレゼンはしばしば失敗しました。第二に、幹部が聞きたかった情報がプレゼンの結論部分になるまで明らかにされないことが問題でした。プロットはプレゼンの最後になってようやく明らかにされたのです。

Stage 3 話にフックをつける

ここまで見てきたことを復習しましょう。プレゼンにおけるストーリー・メッセージは、まず「あいさつ」で始まり、その後に「プロット」が提示されるべきだと説明してきました。

もっとも映画はそんな風には始まりません。映画の冒頭で、あいさつやプロットが提示されることなんてまずありません。映画の冒頭はたいてい、観客を引きつける魅力的な「フック」から始まるのです。

釣りの世界では「フック」とは、魚を捕まえるルアーのことです。フックに引っかかった魚は逃げられません。同様に「フック」の効いた映画のオープニングシーンは観客を魅了して放しません。映画『ジョーズ』の冒頭でサメが攻撃してくるシーンを思い浮かべてみてください。または映画『スターウォーズ エピソード4 / 新たなる希望』の冒頭で、レイア姫の乗る宇宙船がダースベイダー率いる帝国軍に襲撃を受けるシーンでも構いません。これらの冒頭のシーンは実に魅力的で、自然と映画の続きが見たくなります。

映画の冒頭シーンにおける「フック」と同様に、プレゼンにおける「フック」もまた話のつかみとして聞き手の注意と関心を引きます。プレゼンで聞き手の興味を引くのに効果的な方法は次の4つです。

1 名言を引用する

2 質問する

3 統計や数値を用いる

4 ショート・ストーリーを用いる

映画『ジョーズ』の冒頭シーン

それぞれの詳細を見ていきましょう。

1 名言を引用して、興味を引く

あなたが用意したプレゼンでは恐らく、新製品や新技術、新提案に関する何らかの新しい情報を聞き手にもたらすことでしょう。しかし、聞き手にとってなじみのない新しい話題に入る前に、よく知っている話題から始めたほうが得策です。名言や格言とは即ち、有名な人物が残した有名な発言です。そこで名言や格言の引用からプレゼンを始めることで、なじみがある共通の話題、私たち全員が知っていて共感できる点から話題を始めることができます。具体例を挙げます。

● 新しい販売目標を掲げるプレゼン

005

「大志を抱け！」
ウィリアム・スミス・クラーク（クラーク博士）

"Be ambitious!"

—William Smith Clark

William Smith Clark said, "Be ambitious!" What does that mean to us? Are these sales targets too much for us? No! Let's be ambitious. We can reach these targets. Let's look at how we can do this...

ウィリアム・クラーク博士は「大志を抱け！」と言いました。それは私たちにとって何を意味するでしょう？

これらの販売目標は高過ぎるでしょうか？　いいえ、そんなことはありません！　大志を抱き、これらの目標に到達しましょう。それでは、どうやってこの目標を達成するかについて見てみましょう……。

● 新製品の発売日を繰り上げるプレゼン

006

「そうです、私たちには可能です」
バラク・オバマ大統領

"Yes, we can!"

—Barack Obama

President Obama said, "Yes we can!" What does that mean today? Can we meet the new launch date? Yes we can! Let's look at how we can do that in three points...

オバマ大統領は「そうです、私たちには可能です！」と言いました。それは今ここでは何を意味するでしょう？　新しい発売日に間に合わせることができるでしょうか？　そうです、私たちには可能です！　3つのポイントでそれを実行する方法を見てみましょう。

● 組織の将来についてのプレゼン

"I have a dream."

—Dr. Martin Luther King Jr.

「私には夢があります」
キング牧師

Dr. Martin Luther King said, "I have a dream." What does that mean to us as students? Do we have a dream for the future? Yes, we do. Let's look at our future. Here is our future in three points...

マーティン•ルーサー•キング牧師は「私には夢がある」と述べました。我々学生にとってそれは何を意味するでしょう？　将来の夢はありますか？　ありますよね。私たちの未来を見てみましょう。ここに私たちの未来に関する3つのポイントがあります……。

● 代替案や選択肢を議論するプレゼン

"Imagine."

—John Lennon

「想像してみてください」
ジョン・レノン

John Lennon asked us to, "imagine." What does that mean to our company? Can we imagine ourselves as a solutions company instead of a manufacturing company? Certainly! There are three steps...

ジョン•レノンは私たちに「想像する」ように言いました。私たちの会社にとってはそれは何を意味するでしょうか？　私たちは製造会社ではなく、ソリューション会社であると想像することができますか？　もちろんそうですよね！　そこで3つのステップがあります……。

! 名言を引用して簡単な英語で話すには？

これまで「あいさつ」文のメッセージを4つの簡単なステップに分け、「プロット」の記述も簡単な構文で表現できることを見てきました。同様に「引用」に関する英文メッセージも、非常に簡単な英語で表すことができます。次の5つの手順に沿って英文を作成してみてください。

1. 偉人の名言を引用する
2. 自分たちの現状に置き換えて考える
3. YesかNoか二択で答えられる質問をする
4. シンプルに答える
5. プレゼンの概要へと移行する

それではp.28〜29で示した4つの例を5つの手順に分解してみましょう。

009

1. 偉人の名言を引用する

偉人 (Person)	名言 (Quotation)
William Smith Clark said,	"Be ambitious!"
President Obama said,	"Yes we can!"
Dr. Martin Luther King said,	"I have a dream."
John Lennon asked us to,	"Imagine."

2. 自分たちの現状に置き換えて考える

What does that mean to us?
What does that mean to us today?
What does that mean to us as students?
What does that mean to our company?

3. Yes か No か二択で答えられる質問をする

Are these sales targets too much for us?
Can we meet the new launch date?
Do we have a dream for the future?
Can we imagine ourselves as a solutions company instead of a manufacturing company?

4. シンプルに答える

No!	Yes we can!	Yes, we do.	Certainly!

5. プレゼンの概要へと移行する

Let's look at how we can do this...
Let's look at how we can do that in three points...
Here is our future in three points...
There are three steps...

課題 あなたのプレゼンのつかみはOK?

ここであなたが行う予定のプレゼンについて考えてください。プレゼンの「フック」として使えそうな名言や格言が思い浮かびますか？　名言は有名人のものでも、あなたの会社や大学、組織やNGOに属する人物の言葉でもいいでしょう。歴史上の偉人や匿名の人物の名言でも構いません。この時、左上で示した5つの手順に沿ってシンプルな英文を作成してみてください。

これらについてそれぞれ詳細を見ていきましょう。

2 質問を使って、興味を引く

「質問すること」もまた、プレゼンのつかみとして聞き手の興味を引くのに効果的です。聞き手に質問をすることで、聞き手をプレゼンに巻き込むことができます。そうすれば彼らはもはや単なる傍観者ではなく、あなたのプレゼンの参加者であり、あなたのプレゼンの一部となるのです。質問をフックとして使う 4 つの方法を次に示します。

● 投票を行う（聞き手の考えを知る）

010

1. How many people are Mac users?
2. How many people are PC users?
3. How many people use both?

Before I start, I'd like to ask a couple of questions. Can I have a show of hands for how many people are Mac users? Ok. And, can I have a show of hands for how many people are PC users? OK. And, last, can I have a show of hands for how many people use both?

始める前にいくつか質問をさせていただきます。Mac ユーザーが何人いるか知るため挙手していただけますか？　OK。また PC ユーザーも挙手していただけますか？　OK。最後に両方を使用している方、挙手していただけますか？

● アンケートを取る（聞き手の知識や経験を測る）

011

1. How many people are programmers?
2. How many people are familiar with Cobalt?
3. How many people use Java?
4. How many people know C++?

Before we start, I'd like to find out who you are:
First, how many people here are programmers?
Second, how many people are familiar with Cobalt?
Third, how many people know Java?
Finally, how many people know C++?

始める前に、みなさんについて確認したいと思います。
第一に、プログラマーの方は何人ですか?
第二に、コバルトに精通している方は何人ですか?
第三に、Javaを知っている方は何人ですか?
最後に、C++を知っている人は何人ですか?

● レトリカル・クエスチョンを投げる（問題提起する）

012

when?

I have one question: When. When can we release our 5G products?

質問が1つあります。 いつですか？　5G製品は一体いつリリースできるのでしょうか？

※レトリカル・クエスチョン（修辞疑問）とは、聴衆からの回答を求めていない質問のことで、疑問文の形で問題を提起します。

● ブレーンストーミングを行う（頭を柔軟にして考えてもらう）

If...
budget weren't an issue,
what kind of computer
would you want?

If budget weren't an issue, what kind of computer would we want? Here are three options...

予算が問題にならないとしたら、どのようなコンピュータが必要でしょうか。3つの選択肢があります……。

プレゼンの鉄則

英語の質問文をあらかじめスライドに書き込んでおけば、実際に英語を話す際に便利です。また「ワード」などの文書ソフトについている文法やスペルのチェック機能を活用して、質問文が間違っていないことを事前に確認しておいてください。

課題　オリジナルの質問文を考えてみよう！

ここであなたが行うプレゼンについて考えてください。あなたがフックとして使えそうな魅力的な質問を思いつきますか？

3 統計や数値を使って、興味を引く

数値は極めて具体的であり、上手に使えば切迫した雰囲気をもたらすことができます。プレゼンのつかみに数値を取り入れることで、聞き手の知性に訴えることができます。何より数値は覚えてもらいやすいです。具体例を示しましょう。

014

1.

Zero: This is our target for the number of defects in production. How can we achieve this? Here are 3 steps...

ゼロ。これは、生産における欠陥数の目標です。どうすればこれを達成できますか？ ここに3つのステップがあります……。

0

015

2.

Eighty-four: This is the number of Amur Leopards left in the wild. What can we do? Here are three things...

84。これは野生に生息するアムールヒョウの数です。私たちに何ができるか？ 3つのことがあります……。

84

016

3.

Eighty percent: This is the number of Toyota cars sold 20 years ago that are still on the road today. Why are Toyota cars so reliable? Here are the reasons...

80%。これは20年前に販売され、現在も販売されているトヨタ車の数です。なぜトヨタ車はそんなに信頼できるのですか？ ここに理由があります……。

80%

4.

017

Two-hundred-seventeen million! This is the number of iPhones sold last year. Why is the iPhone so popular? Let's look why...

2億1700万！ これは昨年販売されたiPhoneの数です。なぜiPhoneはそれほど人気があるのでしょうか？ ここに3つの理由があります……。

217,000,000

数値を用いて簡単な英語で話すには？

左ページで紹介した例文で、シンプルな英語で話すために使われた手順は次のとおりです。何度も強調しますが、英語で話すプレゼンではシンプルな英語にすることが大事です。次の手順に従ってください。

1. 数値を紹介する。
2. 数値が表す意味を説明する。
3. レトリカル・クエスチョンを投げ、問題提起をする。
4. プレゼンの概要へと移行する。

これらのステップに左ページの例文を当てはめてみましょう。

1. 数値を紹介	2. 意味を説明	3. レトリカル・クエスチョン	4. 概要へ移行
Zero.	This is our target for the number of defects in production.	How can we achieve this?	Here are 3 steps...
Eighty-four.	This is the number of Amur Leopards left in the wild.	What can we do?	Here are three things...
Eighty percent.	This is the number of Toyota cars sold 20 years ago that are still on the road today.	Why are Toyota cars so reliable?	Here are the reasons...
Two-hundred-seventeen million!	This is the number of iPhones sold last year.	Why is the iPhone so popular?	Let's look why...

課題 数値を用いたフックを考えみよう！

あなたのプレゼンのフックに使えそうな統計や数値を思いつけますか？

1. 数値を紹介	2. 意味を説明	3. レトリカル・クエスチョン	4. 概要へ移行

4 ショート・ストーリーを使って、興味を引く

多くのTEDトークでは、ショート・ストーリーをフックに使っています。しかし、ショート・ストーリーをフックに使うのは英語力に大きく依存するため、ネイティブではないプレゼンターには簡単ではありません。ただし、このショート・ストーリーを用いた英語を簡略化し、英語で話しやすくするための方法はあります。ここでは2つの手順を紹介します。

1. ストーリーをシンプルにする

「グッド・ニュース」、「バッド・ニュース」という形式が最も簡単です。

2. ストーリーを語るときに、スライドの助けを借りる

スライドを示しながら語ることでシンプルな英語で話すことができます。次に3つの例を挙げます。

018

● グッド・ニュース

誰でもサクセスストーリーは好きですから、グッド・ニュースが嫌いな人なんていないでしょう。次に例を挙げます。

The Michigan Wolf—it was almost extinct.
From near zero wolves to over 5 hundred wolves.
This is a great success story. How can it be repeated with other endangered animals? Here is our three point plan:...

ミシガンウルフはほぼ絶滅寸前でした。
ゼロに近い数のオオカミから、500匹以上の

オオカミまで（増殖しました）。これは大きな成功物語です。絶滅の危機に瀕している他の動物たちはどうやったら同じようにできるでしょうか？ ここに3つのプランがあります……。

● バッド・ニュース

バッド・ニュースを好む人なんていませんが、それは私たちの興味を引き、解決策を考える動機となることもあります。次にそうした例を示します。

This is Robin Williams.

Comedian, actor (the voice of the Genie in Disney's animation Aladdin), and suicide victim.

Suicide is on the rise and continues to increase.

What are the reasons and what can be done?

ロビン・ウィリアムスです。
コメディアン、俳優（ディズニー・アニメ『アラジン』で魔人の声を担当）、そして自殺した人物でもあります。
自殺は増加しており、増加し続けています。

自殺する理由は何なのでしょうか？ 何ができるでしょうか？

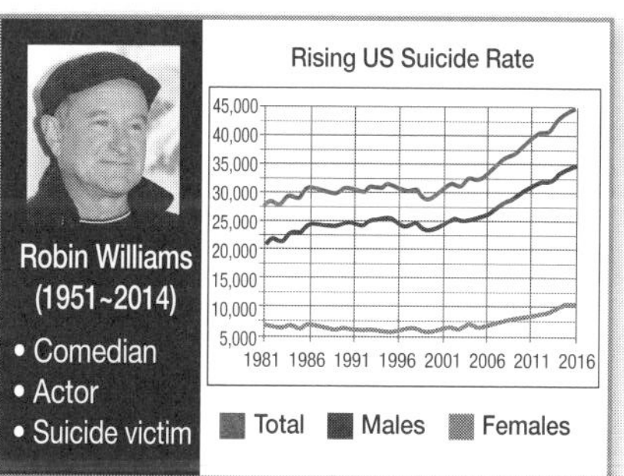

● バッド・ニュースがグッド・ニュースに変わる！

020

「バッド・ニュース」が「グッド・ニュース」に変わるのはすばらしいストーリーです。次に例を示します。

Candace Lightner is mad!
In May of 1980 her 13-year-old daughter was killed by a drunk driver.
In September 1980 she formed Mothers Against Drunk Drivers.
Since that time the number of deaths by drunk drivers is down by 63%.
This is an amazing success story! How can this success be repeated elsewhere?

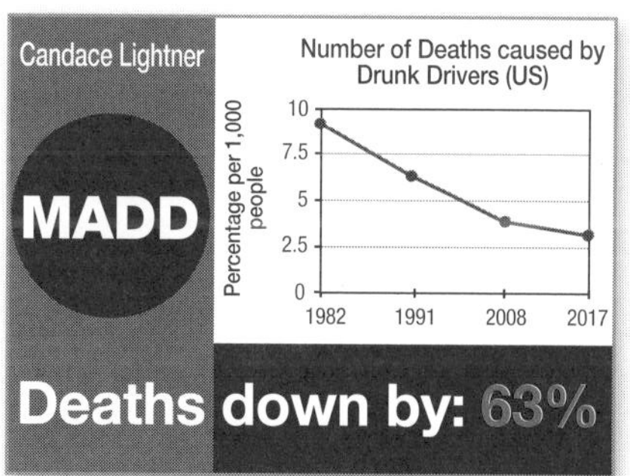

キャンディス・ライトナーは怒っています！
1980年5月、13歳になる彼女の娘は酔っ払った運転手に殺されました。
1980年9月、彼女は「飲酒運転に反対する母親の会」を結成しました。
それ以来、飲酒運転者による死亡者数は63%減少しました。
これはすばらしいサクセスストーリーです！　こうした成功例を他の件でどのように応用できますか？

ショート・ストーリーを簡単な英語で話すには？

スライドを使ってショート・ストーリーを簡単な英語で話すための手順は次のとおりです。

1. 主題を紹介する

2. スライドでストーリーを伝える

3. 概要へと移行する

1. 主題を紹介する	2. スライドでストーリーを伝える	3. 概要へと移行する
The Michigan Wolf—it was almost extinct.	From near zero wolves to over 500 wolves.	This is a great success story. How can it be repeated with other endangered animals? Here is our three point plan...
This is Robin Williams.	Comedian, actor, and suicide victim. Suicide is on the rise and continues to increase.	What are the reasons and what can be done?
Candace Lightner is mad!	In May of 1980 her 13-year-old daughter was killed by a drunk driver. In September 1980 she formed Mothers Against Drunk Drivers. Since that time the number of deaths by drunk drivers is down by 63%.	This is an amazing success story! How can this success be repeated elsewhere?

復習です。話を手短にまとめ、英語もシンプルにしましょう。そしてスライドを使って説明してください！

課題 ショート・ストーリーを考えてみよう！

ここであなたが行うプレゼンについて考えてください。フックとして使用できそうなショート・ストーリーが思い浮かびますか。そのストーリーを伝えるために使用するスライドも想像してみてください。シンプルな英語で話すために、以下の表に書き込んでください。

1. 主題を紹介する	2. スライドでストーリーを伝える	3. 概要へと移行する

課題 TEDトークを聞いて、分類してみよう！

「1分の法則」（p.16）を覚えていますか？　下に挙げたTEDトークの最初の1分間をご覧ください。冒頭から引きつけられましたか？　それぞれのプレゼンターが使ったフックの種類が特定できますか？　下のボックスをチェックして分類してみましょう。最初だけチェックしておきました。

TEDトーク	名言の引用	質問	数値や統計	ショート・ストーリー
ダニエル・ピンク「やる気に関する驚きの科学」	☐	☐	☐	☑
アンジェラ・リー・ダックワース「成功のカギは、やり抜く力」	☐	☐	☐	☐
スガタ・ミトラ「自己学習にまつわる新しい試み」	☐	☐	☐	☐
シェーン・コイザン「今でもまだ—いじめに悩む美しい君たちへ」	☐	☐	☐	☐
田口一成「人生の価値は、何を得るかではなく、何を残すかにある。」	☐	☐	☐	☐

TED Talk	名言の引用	質問	数値や統計	ショート・ストーリー
オファ・レヴィ「The new science of personalized vaccines」	□	□	□	□
神谷明日香「Meet a 12-year-old patent holder」	□	□	□	□
ロバート・ウォールディンガー「人生を幸せにするのは何？最も長期に渡る幸福の研究から」	□	□	□	□
アダム・グラント「独創的な人の驚くべき習慣」	□	□	□	□

ここまでのまとめ

プレゼンの冒頭で「フック」をつけることで、観客の興味を引くことができます。これまでに4種類のフックを見てきました。改めておさらいしてみましょう。

❶ 名言を引用する――名言を引用して簡単な英語で話すための5つのステップを覚えていますか？ (→p.30)

❷ 質問する――ソフトウェアについている文法やスペルのチェック機能を使って、聞き手が正しく理解できる「質問」を用意しましょう。

❸ 統計や数値を用いる――数値を用いて簡単な英語で話すための4つのステップを覚えていますか？ (→p.35)

❹ ショート・ストーリー――ショート・ストーリーを簡単な英語で話すための、3つのステップを覚えていますか？ (→p.38)

Stage 4 概要を提示する

小説や映画では「伏線」と呼ばれる手法を駆使して、小説や映画の展開を観客にそれとなく知らせることが多いです。一方、プレゼンの場合は「それとなく」ではなく、聴衆の関心を引くために、プレゼンの冒頭部である第1幕ではっきりとしたロードマップを明示する必要があります。ロードマップはなるべく明確で明示的であるに越したことはありません。聴衆にあなたの話についてきてもらうことを期待するなら、あなたは彼らにあなたの話がどこへ向かうのかを最初にはっきりと伝えなければなりません。以下は、プレゼンで概要を伝えるときに使える3つのパターンです。

パターン1 **動名詞 + 名詞**
パターン2 **疑問文**
パターン3 **「トピック」+「説明」**

パターン1 動名詞+名詞

「動名詞 + 名詞」という形式で、概要を記述することができます。このパターン1を使って記述すると、映画『スター・ウォーズ』に登場するダース・ベイダーが最新兵器「デス・スター」ついてプレゼンを行ったとすると、概要は下記のようになると考えられます。

Overview
1. Introducing Death Star Technology
2. Demonstrating the Superiority of DST
3. Protecting the Death Star

概要
1. デススターテクノロジーの紹介
2. DSTの優位性を示す
3. デス・スターを守る

動名詞	名詞
Introducing	Death Star Technology
Demonstrating	the Superiority of DST
Protecting	the Death Star

私が東芝で働いていたとき、幸運にも世界初のラップトップ・コンピュータ「Dynabook」に関する初期のプレゼンをいくつか見ることができました。今日ではノートパソコンなんて当たり前の存在ですが、Dynabook の初期のプレゼンを見たとき、それはまるで SF 映画のワンシーンのようでした！東芝の Dynabook に関する初期のプレゼンの概要を下記にご紹介します。これも「動名詞 + 名詞」の形式で表すことができます。

Overview

1. Introducing Dynabook

2. Making Computing Portable

3. Using the Power Saving Mode

概要
1. Dynabookの紹介
2. コンピューティングを持ち運び可能に
3. バッテリー節約モードの使用

動名詞	名詞
Introducing	Dynabook
Making	Computing Portable
Using	the Power Saving Mode

課題 「動名詞+名詞」の形式で概要を記述してみよう！

あなたが行うプレゼンについて、パターン 1 である動名詞（動詞＋ -ing）+ 名詞の形式を使って、概要をまとめてみましょう。

Overview

1. __________ing ____________________

2. __________ing ____________________

3. __________ing ____________________

パターン 2 疑問文

パターン2は、疑問文を並べて、概要を表すパターンです。このパターンを使って記述する場合、「疑問詞＋動詞＋名詞（句）」で表すことができます。ダース·ベイダーがデス·スターに関してプレゼンを行うとしたら、このパターンを使った概要は下記のようになるでしょう。

Overview

1. What Is Death Star Technology?
2. Why Is DST Superior?
3. How Can We Best Defend the Death Star?

概要
1.デス・スターの技術とは？
2.デス・スターの技術はなぜ優れているのか？
3.どうすればデス・スターを最善の方法で防御できるか？

疑問詞	動詞	名詞（句）
What	is	Death Star Technology?
Why	is	DST Superior?
How	can	We Best Defend the Death Star?

1980年後半～90年代にかけて東京・大山にある豪華なセミナーハウスでキヤノンの3日間のプレゼン講座を何十回も行ったことがあります。そのとき私は世界初のインクジェットプリンターに関する初期のプレゼンを見ることができました。パターン2を使うと、キヤノンのバブルジェットプリンター技術に関する初期のプレゼンの概要を下記のように表すことができます。

Overview

1. What is “Bubble-jet” technology?
2. How is it superior to conventional printer technology?
3. When will it be available in the U.S.?

概要
1.「バブルジェット」テクノロジーとは何か？
2.従来のプリンター技術に比べてどのように優れているか？
3.アメリカではいつから利用できるようになるか？

疑問詞	動詞（助動詞）	名詞（句）
What	is	"Bubble-jet" technology?
How	is	it superior to conventional printer technology
When	will	it be available in the U.S.?

課題 疑問文を使って、概要を記述してみよう！

あなたが行うプレゼンについて、パターン２の「疑問文」を使って、概要をまとめてみましょう。

Overview

1. ....?

2. ....?

3. ....?

パターン 3 「トピック」＋「説明」

パターン3は、トピックとその説明を並べるパターンです。ダース・ベイダーがデス・スターに関してプレゼンを行うとしたら、このパターンを使った概要は下記のようになります。

Overview

1. Death Star Technology: Demonstration
2. Superiority of Death Star: Comparison
3. Vulnerable Areas: Defense

概要
1. デススターの技術：デモンストレーション／2.　デススターの優位性：比較
3. 脆弱な領域：防衛

トピック	:	説明
Death Star Technology	:	Demonstration
Superiority of Death Star	:	Comparison
Vulnerable Areas	:	Defense

私がその昔プレゼンで見かけた別の製品は、今日のデジタルカメラの先駆けであるキヤノンの「XapShot」でした。今では多くの人がデジタルカメラを使用していますが、当時は革命的なアイデアであり、新しい技術でした。消費電力に大きな問題があったことを覚えています。初期のプロトタイプでは、画面のバッテリー電力がすぐに消耗してしまったものです。パターン3を使うと、キヤノンのXapShotに関するプレゼンの概要は下記のように表すことができます。

Overview

1. XapShot: A still-video camera
2. Advantages: Savings on film
3. Problems: Power consumption

概要
1. XapShot：スチルビデオカメラ
2. 利点：フィルムの節約
3. 問題：消費電力

トピック	:	説明
XapShot	:	A still-video camera
Advantages	:	Savings on film
Problems	:	Power consumption

ちなみに、ネイティブのプレゼンターの中には、概要をまとめたスライドを使用しないスピーカーもいます。ただし、私はすべての企業および受講者に、次の3つの理由で概要をまとめたスライドを必ず使用するように指示しています。

1. 概要をまとめたスライドを使ったほうが、英語を話すのが楽です。
2. 英語の発音を間違えても聞き手が理解してくれます。
3. 聞いたものより見たもののほうが聞き手の記憶に残りやすいものです。

課題 疑問文を使って、概要を記述してみよう！

次に進む前に、あなたが行うプレゼンについて、パターン３の「トピック」＋「説明」を使って、概要をまとめてみましょう。

Overview

1. ………………………………:………………………………

2. ………………………………:………………………………

3. ………………………………:………………………………

ここまでのまとめ

- 「概要」とは、あなたのプレゼンの目次です。購入する前に本の目次を確認するのと同じように、聴衆はあなたをフォローする前にプレゼンの概要を求めます。
- 「概要」について英語で表すための３つのパターンを覚えてください。

パターン **1** **動名詞＋名詞**

パターン **2** **疑問文**

パターン **3** **「トピック」＋「説明」**

- 「概要」の要素は３～４個、できれば３つに絞りましょう。

重要なポイントが明確になっているか確認しましょう。わけがわからない「ミステリー概要」（よくわからない不思議な概要をこう呼びます）はNGです。

第1部の模範回答を聞いてみよう！

それでは、これまでに見てきた「あいさつ」、「プロット」、「フック」、「概要」を含んだ完全な第1部の例文を見てみましょう。第1部の例として、レイア姫に対してデス・スターの力が発揮される『スター・ウォーズ』の1シーンについて書き直してみましょう。デス・スターの橋で話し合いをする代わりに、ダース・ベイダーが以下のプレゼンを行うと仮定します。

021

Good morning!

I am Darth Vader.

Thank you, Princess Leia, for coming to our presentation.

Our topic today is: Employing Death Star technology to crush the rebellion.

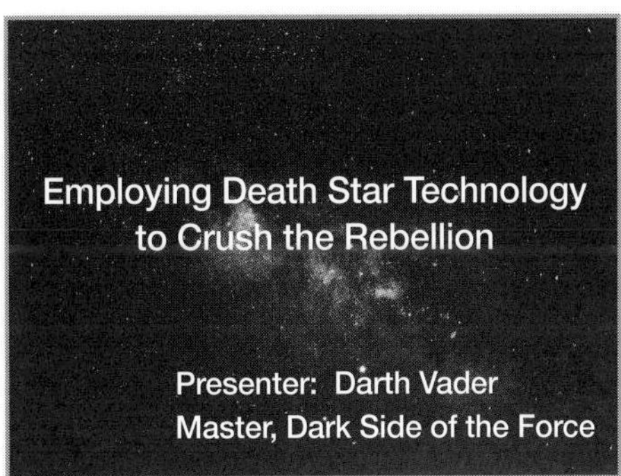

おはようございます！
私はダース・ベイダーです。
レイア姫、私たちのプレゼンに来てくれてありがとう。
今日のトピックは、Death Starテクノロジーを使用して反乱を鎮圧することです。

Let me start with a simple question: Is resistance useless?

Yes!

Here is why in three points:

簡単な質問から始めましょう：レジスタンスは役立たずですか？
もちろん！
これが3つの理由です。

© iStockphoto /OrionM42

First, introducing Death Star Technology

Second, demonstrating the superiority of DST

Third, protecting the Death Star

Let's look now at an introduction to Death Star Technology...

第一に、デス・スターの技術を紹介します。第二に、デス・スターの技術の優位性を示します。第三のポイントは、デス・スターの防衛です。
それではデス・スターの技術の概要について見てみましょう……。

第1部のまとめ

おめでとう！　導入部である第1部についての説明が終了しました。これで、シンプルでありながらも聞き手の注意を引く強烈なイントロダクションを作成するために、必要なすべてのスキルが習得できました。第2部に進む前に、第1部の理解度を確認するための簡単なクイズにお答えください。

1	第１部はプレゼンの最も重要な部分です。聞き手の関心を引き出せないとプレゼンは失敗します。	○	×	わからない
2	あいさつは短くシンプルにしてください。自己紹介は避けましょう。	○	×	わからない
3	「プロット」について話し、ストーリーを紹介します。	○	×	わからない
4	「フック」を使って聞き手の興味と関心を引きます。	○	×	わからない
5	聞き手が容易についてこられるようにプレゼンの「概要」を話して全体の流れを説明します。聞き手、特に忙しい幹部は話がどこに向かうのかがわからないと、プレゼンを聞きたがりません。	○	×	わからない

Column

視覚情報と言語情報を統合しよう！

私は長年にわたるプレゼン講習でさまざまな「概要」を指導してきました。ここで、初心者が犯しがちなミスをいくつか列挙しておきましょう。

❶「はじめに」と「結論」は概要ではありません！

私は次のような3つのポイントを並べた「概要」のスライドを何度も見ました。

1. はじめに
2. iPhone 8 と iPhone X の比較
3. 結論

プレゼンに開始と終了があるのは当たり前です。したがってその2つは概要とは呼べません。概要とは、あなたの物語の目次なのです。どんな本にも開始と終了がありますが、「開始」と「終了」は物語の本体の一部として目次に載っていませんよね。それと同じことです。

❷ 概要はシンプルかつ具体的に！

私は時々このような概要も見かけます。

1. 会社
2. 製品 / サービス
3. 市場シェア

これでは「ミステリー概要」です。これは何の会社ですか？　どんな製品やサービスを提供しているのでしょう？　何のための市場シェアなのでしょうか？　具体的なことが何もわかりません。すべてが謎です。プレゼンでは聴衆は謎を好みません。もっと具体的な概要を作成してください！次のページの例は改善を加えた後の同じ会社の概要です。

1. カーニバルクルーズラインの概要
2. カリブ海クルーズ
3. 世界で最も人気のあるカリブ海クルーズライナー

❸ ポイントは3つか4つに絞ろう！

たった5分間の短いプレゼンでも次のような概要を時々見かけます。

1. ディズニーリゾートへの交通手段
2. ビッグサンダー・マウンテン
3. スペース・マウンテン
4. スプラッシュ・マウンテン
4. ミッキーマウス・レビュー
5. カントリーベア・シアター
6. 東京ディズニーランドパレード

ポイントが多過ぎますし、細かく分け過ぎていて、聞き手がすべてのポイントを覚えることなんてできません！ これでは「木を見て森を見ず」（細い部分にこだわり過ぎて全体が見えていないこと）です。主要なポイントを3つか4つに絞りましょう。3つのポイントなら聞き手は簡単に覚えることができますから、できれば3つがベストです。ディズニーの概要を簡略化してみましょう。

1. ディズニーランドへの交通手段
2. ディズニーランドのジェットコースター
3. ディズニーランドでのショー

こちらのほうがはるかに簡単で、目次としてより優れていますね。聞き手が覚えるのもこのほうがはるかに簡単です。

第2部 Getting Understanding 理解してもらう

あなたが魅力的な第１部を作成できたなら、聞き手の関心を集めることができたでしょう。次に第２部では、聞き手に理解してもらう必要があります。聞き手はプレゼンの冒頭で何を理解したのでしょうか。 プレゼンのプロット（骨子、トピック）ですよね。次は聞き手にプロットを詳しく理解してもらう必要があります。 第１部で事前にプロットを提示しましたが、第２部でもプロットを提示し、詳しく説明する必要があります。その方法を見てみましょう。

「内容」「理由」「方法」を理解してもらおう！

聞き手の理解を得るには、プレゼンのプロットに関して「内容」「理由」「方法」（何を、なぜ、どのように）の３つを説明する３つのスライドが必要です。

1 内容 を伝えるスライド

プレゼンするものは何ですか？　どういう製品やサービス、あるいは計画や提案ですか？　状況はどうですか？　技術系のプレゼンであれば、技術的な問題は何ですか？

2 理由 を伝えるスライド

聞き手にとって、なぜそれが重要なのでしょうか？

3 方法 を伝えるスライド

それはどのように機能し、使用されますか？

例をいくつか示しましょう。

例１ プロット：次世代スマートフォンのリリース日を前倒しして、初期の市場シェアを獲得したい。

このプロットに対して「内容」、「理由」、「方法」の３つを説明し、掘り下げていきましょう。

1 内容

次世代スマートフォンのリリース日を前倒しすること

進行状況はどうでしょう？　スケジュールを示すスライドを表示しましょう。聞き手はスケジュールをどれだけ前倒しする必要があるかを具体的に知る必要があります。30日？　90日？　100日？

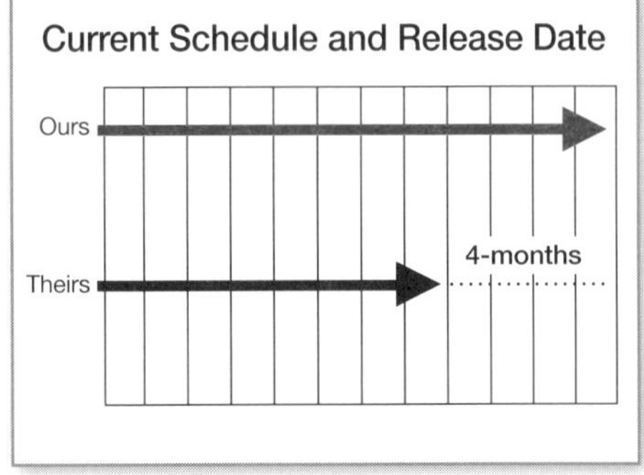

（現在のスケジュールとリリース日）

2 理由

市場シェアを最初に獲得するため

なぜスケジュールの前倒しが重要なのでしょう？　利益を出すには市場の独占こそが重要だからです。現在のリリース日で予測した市場シェアと、新しいリリース日で予測した市場シェアを示します。現在のままではどれだけの市場シェアや収益が失われますか？　2%、4%、それとも10%？　またリリース日を前倒しすることで、市場シェアと収益をどの程度アップできますか。6%、7%、それとも8%？

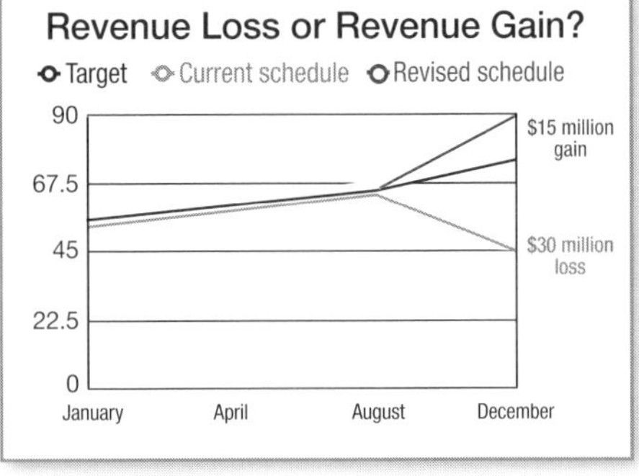

（収益減か収益増か？）

3 方法

どうすれば新しいスケジュールを着実に達成できるか？

新しいスケジュールと作業量を示しましょう。後どのぐらいの資本が必要で、どれだけの人員と設備が必要でしょう？　また残業時間は何時間必要ですか？

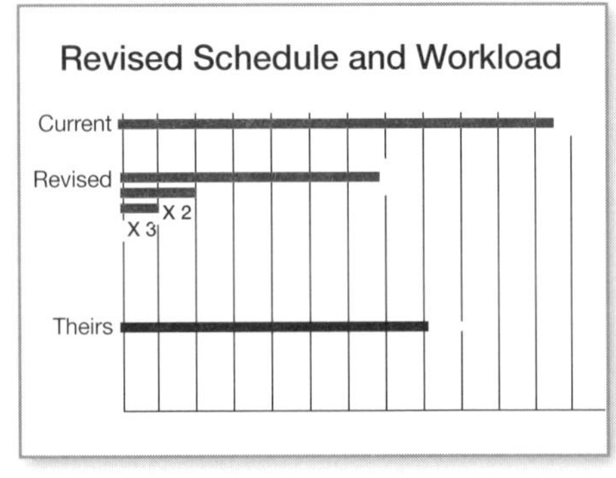

（改善されたスケジュールと作業量）

例2 プロット：オンラインの集中講座を利用して、TOEICのスコアを上げる

1 内容

オンラインの集中講座の利用

集中講座の期間の具体的な時間や日数は？　100時間、120時間、27日、60日、それとも90日？　具体的にどういうオンライン学習ですか？　例を挙げてください。

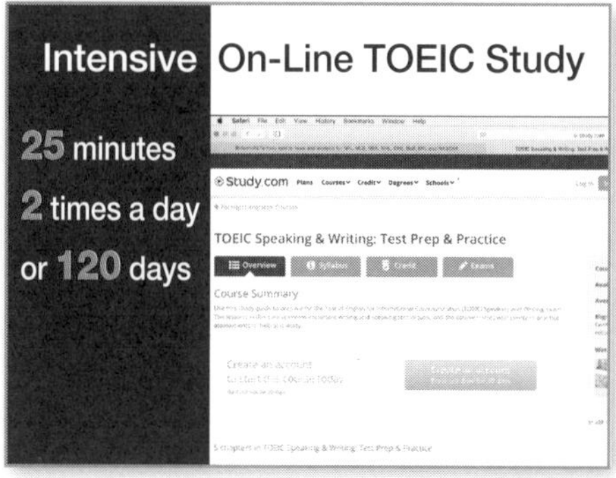

（TOEICオンライン集中講座）

2 理由

TOEICのスコアを上げるため

なぜ集中講座が重要なのでしょう？　社会人と学生の間で、あるいは諸国間の点差が開いているからです。TOEICスコアのグラフで具体的な点差を表示しましょう。20点、30点、40点？　点差は開いていますか？　アジア諸国間でのTOEICの平均点のグラフ、または日・中・韓の大学4年生のTOEICの平均点のグラフ、それにアメリカの大学生のTOEICスコアのグラフなどが必要です。

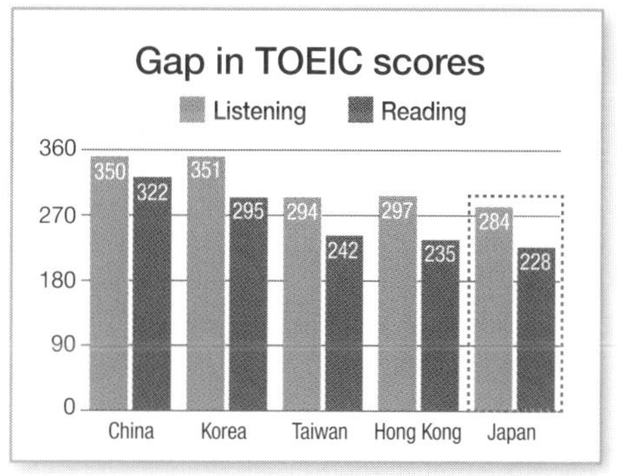

（TOEICスコアの格差）

3 方法

オンラインシステムはどのように機能するか?

具体例を挙げてください。具体的に何点のアップが期待できますか? 50点ですか、それとも100時間ごとに20点アップでしょうか? グラフを表示しましょう。

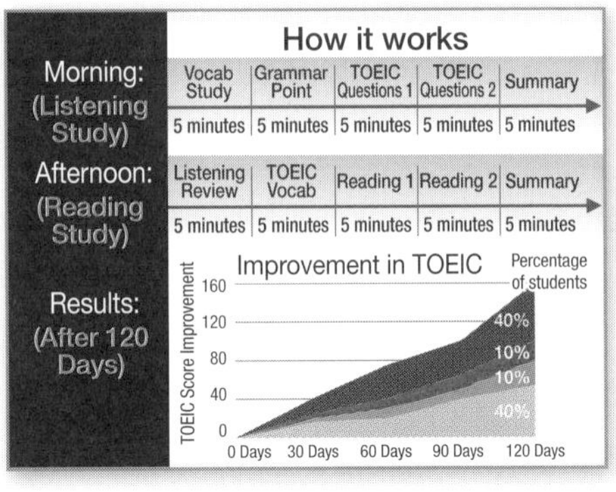

(どれぐらい効果的か)

理解してもらうためには、具体的に!

上記の「内容・理由・方法」では具体的に説明することが重要です。具体的な名称や数字、具体例といった情報なしに良いストーリーを語ることはできません。例えば、次は何の話でしょうか?

例 1

022

Once upon a time, there was a person, and that person was not liked by another person. So, that person went to live someplace else with some people. But then that person had a bad experience with some food and then some time later, that person had a good experience with another person and they lived happily ever after. The End

昔々、ある人物がいました。その人物は別の人物に好かれませんでした。そこでその人物はある場所で何人かの人々といっしょに暮らしました。しかし、その人物はある食べ物に関してひどい体験をし、しばらくすると別の人物に関して良い経験をし、彼らはその後もずっと幸せに暮らしました。おしまい。

どんな話でしたか? これではすべてがあいまいでわけがわかりません。「あいまい」とはつまり、情報量が不足していて不明確ということです。「あいまい」は具体化の敵です。それでは次に、具体的な名称や数字、具体例などを追加して、ストーリーが想像できるかどうかを確認してみましょう。

例 2

Once upon a time, there was (a beautiful princess named Snow White), and (Snow White) was not liked by (the Evil Queen who was jealous of Snow White's beauty). So, (Snow White) went to live (in the forest) with (the Seven Dwarfs). But then, (Snow White fell into a deep sleep) with (a bite from a poisoned apple) and then (100 years) later, (Snow White was kissed by a handsome prince) and they lived happily ever after.
The End

昔々（白雪姫という美しい王女）がいて、（白雪姫）は（白雪姫の美しさに嫉妬した悪の女王）に好かれなかった。それで、（白雪姫）は（森の中で）（七人の小人）といっしょに暮らしました。しかし、（白雪姫は）（毒リンゴを噛じったこと）で、それから（100年）後（白雪姫はハンサムな王子にキスされました）彼らはその後も幸せに暮らしました。
終わり

このお話が「白雪姫と七人の小人」の物語であることが容易にわかりました。具体的な名称、数字、および具体例が明らかになることで、物語に意味が与えられたのです。

Column

具体的な情報にこそ、価値がある！

上記の白雪姫の例からもわかるように、あいまいな情報には価値がなく、ほとんど伝わりません。具体的な情報にこそ価値があるのです。具体的であればあるほど情報の価値が高まり、補足説明も少なくて済みます。下記の質問への回答例を見てみましょう。

Do you have a phone?
電話をお持ちですか

❶ **I have a phone.** (私は電話を持っています)

この回答では、あいまいで具体的な情報がありません。固定電話ですか、それとも携帯電話？　ガラケー、それともスマホなのでしょうか？

❷ **I have a cell phone.** (私は携帯電話を持っています)

まだあいまいです。日本では誰もが携帯電話を持っているからです。

❸ **I have a smart phone.** (私はスマホを持っています)

この回答でもまだあいまいです。今どきは大抵の方がスマホを持っているからです。

❹ **I have an iPhone.** (iPhone を持っています)

マシになりましたが、まだあいまいです。日本では多くの人が iPhone を持っていますから。

❺ **I have a red iPhone Pro.** (私は赤い iPhone Pro を持っています)

これこそが「具体的な回答」の例です。この回答には具体的で価値のある情報があります。この回答から、電話の持ち主が流行に敏感で、最新技術に興味があり、最新のテクノロジーに費やす十分な収入があることがわかるからです。

あいまいな表現では意味がない！

a difficult class（難しい授業）についての以下の表をご覧ください。単にdifficult（難しい）という表現だけではあいまいで内容がありません。これにはいくつかの異なる意味があります。

意味	あいまいな表現	具体的な表現
Meaning 1:	This is a difficult class	Only 1% of the students gets an A grade.
Meaning 2:	This is a difficult class	The teacher only speaks English and speaks very quickly.
Meaning 3:	This is a difficult class	Students have to read one book every week in English.
Meaning 4:	This is a difficult class	It meets after lunch when everyone is sleepy.

意味1　これは難しい授業です。学生のわずか1%だけがAを取れる授業です。
意味2　これは難しい授業です。先生がとても早口で英語だけを話す授業です。
意味3　これは難しい授業です。学生が毎週1冊英語で本を読まないといけない授業です。
意味4　これは難しい授業です。ちょうど眠くなる昼食後に行われる授業です。

一口に「難しい授業」と言ってもさまざまですから、ただ漠然と「難しい授業」と言っても話し手がどういう意図で「難しい」と言っているのかわかりません。話し手が数字や具体例を追加して初めて、話し手がどういう意図で「難しい」と言っているのか、理解できます。

課題　あいまいな表現を具体化しよう！

次のあいまいな英文を見てください。それぞれについて2つの異なる意味の英文を考えることができますか？

あいまいな表現	意味 1	意味 2
This is an easy class.		
Apple is a great company.		
That restaurant is not good.		
Mt Fuji is difficult to climb.		
The U.S. is a dangerous country		

プレゼンの言葉 VS 日常会話の言葉

プレゼンで使う言葉は、日常会話で使う言葉とは大きく異なります。日常会話では漠然としていたり、一般的な表現であっても不都合はありません。日常会話では I have a lot of homework to do this weekend.（今週末は宿題がたくさんある）または I worked a lot of overtime last week.（先週は残業が多かった）と言うことも大いにあり得ます。日常会話では宿題や仕事についてそこまで具体的な情報は必要ないからです。

しかし、これがプレゼンとなると宿題の量（2 つのレポート？　6 ページの数学の問題？　120 ページ分の英語を読む宿題？）やどのくらいの残業だったのか（10 時間、15 時間、あるいは 20 時間？）などの詳細を補足する必要があります。優秀なプレゼンターとなるために、プレゼンのあいまいな部分を特定できるようにトレーニングしましょう。

次の英文に関して、各文のあいまいな点はどこでしょうか？

1	He is a kind teacher.　彼は親切な先生です。
2	She is a good teacher.　彼女はいい先生です。
3	Apple has high technology.　アップル社は高い技術を持っています。
4	We have a large market share.　私たちは大きな市場シェアを持っています。
5	The Tokyo subway system is convenient.　東京の地下鉄システムは便利です。

6	Japanese companies provide good service. 日本の会社はすばらしいサービスを提供します。
7	Japanese employees are hard workers. 日本の従業員は熱心に働きます。
8	Tokyo is a safe city. 東京は安全な都市です。
9	The seasons in Japan are beautiful. 日本の四季は美しいです。
10	Tokyo Disneyland is very popular. 東京ディスニーランドはとても人気です。

具体化するには数値と具体例を！

それでは数字や具体例を加えて上記の1～10の文を具体的にしてみましょう。時間、人数、サイズ、距離、市場シェアなど、簡単に測定できるものには数値を使用し、美しさ・快適さ・利便性・おいしさなど測定が難しいものには、具体例を含めましょう。数値は量を表し、具体例は品質を表します。数値は論理に訴えかけ、具体例は感情に訴えかけます。

以下の文を確認してください。あいまいな言葉には下線が引かれています。あいまいな単語を具体化するために、数値と具体例のどちらが使われていますか？

1	He is a <u>kind</u> teacher.	He lets students submit homework late.
2	She is a <u>good</u> teacher.	She finished the textbook two weeks early.
3	Apple has <u>high</u> technology.	The iPhone has the highest resolution smart phone screen.
4	We have a <u>large</u> market share.	We have over 32 percent of the market.
5	The Tokyo subway system is <u>convenient</u>.	It runs past midnight.
6	Japanese companies provide <u>good</u> service.	They are quick to respond to customer complaints and customer requests.

7	Japanese employees are hard workers.	They work two or three hours overtime every evening.
8	Tokyo is a safe city.	There are almost no shootings.
9	The seasons in Japan are beautiful.	In late winter, plum blossoms bloom; in spring, cherry blossoms bloom; in summer hydrangeas bloom; and in fall the trees turn beautiful red, orange, and yellow.
10	Tokyo Disneyland is very popular.	17.9 million people visited the resort last year.

1. 彼は親切な教師です。／彼は学生が宿題を遅れて提出するのを許してくれます。
2. 彼女はいい先生です。／彼女は2週間早く教科書を終えました。
3. Appleは高い技術を持っています。／iPhoneは最高解像度のスマートフォン画面を持っています。
4. 私たちは大きな市場シェアを持っています。／市場の32%以上を占めています。
5. 東京の地下鉄は便利です。／深夜を過ぎても走行しています。
6. 日本企業は良いサービスを提供しています。／日本企業は顧客の苦情や要求に迅速に対応します。
7. 日本の従業員は働き者です。／日本の従業員は毎晩2～3時間残業します。
8. 東京は安全な都市です。／東京では銃撃はほとんどありません。
9. 日本の四季は美しい。／日本では冬の終わりには梅が咲きます。春には桜が咲きます。夏にはアジサイが咲きます。秋には木々が美しい赤、オレンジ、黄色に変わります。
10. 東京ディズニーランドはとても人気があります。／昨年は1790万人が東京ディズニーリゾートを訪れました。

課題　数値や具体例を考えてみよう！

あいまいな表現には具体的な中身がないことがわかりました。次のあいまいな文章をご覧ください。各文の内容を具体的にする数値または具体例を思いつきますか？

	あいまいな表現	数値や具体例
1	My university campus is beautiful.	?
2	Tokyo is crowded.	?
3	Tokyo is dangerous.	?

4	Tokyo is convenient.	?
5	Toyota is a high-tech company.	?
6	People in Japan like Starbucks.	?

1. 私の大学のキャンパスは美しいです。
2. 東京は人口過密です。
3. 東京は危険です。
4. 東京は便利です。
5. トヨタはハイテク企業です。
6. 日本の人々はスターバックスが好きです。

第2部のまとめ

ここまでで学んできたことをチェックしてみましょう。

1	第２部の目標は、聞き手があなたのプロットを理解することです。	○	×	わからない
2	聞き手にプロットを理解してもらうには、内容、理由、方法の３つを説明します。	○	×	わからない
3	あいまいな話では聞き手に理解されません。	○	×	わからない
4	具体的な情報は価値が高いが、あいまいな情報は価値が低い。	○	×	わからない
5	あいまいな表現には内容がありません。例えばgood、kind、difficultなどの単語には具体的な内容がありません。	○	×	わからない
6	具体的にしましょう。名称、数値、具体例を駆使して、聞き手の理解を獲得します。	○	×	わからない

第3部 Getting Agreement 同意してもらう

次に進む前に復習しましょう。第１部では 聞き手の注意を引きました。第２部では 内容、理由、方法の３つを説明することで、観客にプレゼンのプロット（骨子、トピック）を理解してもらいました。さて第３部ではいよいよ聞き手の同意を得なければなりません。しかし、どうやって？　映画や小説の物語の場合をもう一度確認してみましょう。映画や小説には主役がいて、ライバル（好敵手）や悪役もいます。ここではいくつかの例を示します。

映画・小説	主役	敵対者
The Lion King 『ライオンキング』	Simba	Scar
Peter Pan 『ピーター・パン』	Peter Pan	Captain Hook
Rocky 『ロッキー』	Rocky	Apollo
Star Wars 『スター・ウォーズ』	Luke Skywalker	Darth Vader
Snow White and the Seven Dwarfs 『白雪姫と七人の小人』	Snow White	The Evil Queen
Momotaro 『桃太郎』	Momotaro	The Goblin

通常、主人公とライバルの間には対立や争い、そして競争があります。敵がいないと物語は退屈です。ダース・ベイダーなしの映画『スター・ウォーズ』、ジョーズのいない映画『ジョーズ』を想像してみてください！

プレゼンの第３部ではライバル、つまり競合製品、競合会社、競合理論、競合計画、競合サービスなどを紹介します。そして主役側のやり方（製品、サービス、理論、計画など）を示し、ライバルに勝てると証明しなければなりません。つまり競合相手と主役を比較し、主役側のほうがより大きく、速く、賢く、軽く、便利でより安価であるという強味を列挙します。第３部の終わりで「主役が競合に打ち勝つ」。これこそが聞き手が求めるストーリーです。

ビジネスの世界では、マーベル映画のスーパー・ヒーローのように、製品は市場シェアを求めて競争します。ビジネスの世界で競合している商品やサービスの例を下記に挙げます。

Samsung Galaxy	対	Apple iPhone
トヨタのプリウス	対	ホンダのインサイト
ソニーの PlayStation	対	ニンテンドーの Switch
Macbook Pro	対	Microsoft Surface
スターバックス	対	タリーズ
モスバーガー	対	マクドナルド
Netflix	対	Amazon Prime（または Hulu）
Amazon Japan	対	楽天
メルカリ	対	eBay
LINE	対	WhatsApp

課題 競合相手を想像してみよう！

あなたに関連する以下の質問に答えてください。

1. あなたの会社の最大の競合相手は誰ですか？
2. あなたの学校の最大のライバル校はどこですか？
3. あなたの製品やサービスの最大の競合相手は何ですか？

なぜ、競合と比較するのか？

キヤノン、日本 IBM、東芝、日立をはじめとする多くの企業で、競合する企業や製品、サービスとの比較を発表者がしばしばためらうことがあったのをよく覚えています。これは日本と海外の文化のちがいだと思います。日本のテレビ CM を思い出してみてください。例えば自動車のコマーシャルです。車が山の中を滑空し、海沿いの高速道路では減速し、美しい緑の野原を横断する美しいシーンがあり、ドラマチックな音楽が流れています。そこには言葉や会話が一切なく、車と音楽だけです。そして最後に画面上に車名が映ります。競合他社についての言及や比較はありません。自社の車だけをフィーチャーした美しいコマーシャルです。日本では謙虚さこそが美徳ですから、自社製品を他社のものと比較しようものなら、失礼で傲慢な態度だと見なされてしまいます。ただの悪趣味というわけです。

一方、アメリカの典型的なテレビCMについて考えてみましょう。例えばペプシの味をコーラの味と比較する「ペプシ・チャレンジ」のCMです。この長期にわたるテレビCMのシリーズでは、小さな市場シェアを占めるペプシが、ペプシよりもはるかに大きな市場を占めるコカ・コーラに立ち向かっています。そうすることで視聴者に「私たちはコカ·コーラを恐れていません」「自分たちはコカ・コーラと同じ土俵にいます」「私たちは彼らと競争して勝つことができます」というメッセージを訴えているのです。

最近では、アウディとBMWが広告で直接競争する熾烈な争いを展開しています。もう少し控えめなやり方ですが、GalaxyはiPhoneに対する独自の比較キャンペーンを実施しています。

海外のプレゼンでは、競合との比較がないと、あなたは競合他社を恐れており、競合他社よりも格下だと思われてしまいます。野球ではマイナーリーグのチームがメジャーリーグのチームと対戦したりすることはありません。高校野球のチームがプロ野球のチームと対戦することもありませんよね（少なくとも公式試合では）。比較することで初めて、あなたは競争相手と同じ土俵にいる、強い競争相手であることを示すことができるのです。

何もすべての分野で競合よりも優れている必要はありませんが、何か一部の分野では競合よりも優れている部分もあるでしょう。それを見つけ、競合と比較してください。例を見てみましょう。

自社の強味をアピールするには？

仮にあなたはスマートフォン用のカメラを製造する会社である My Eye Camera Company で働いているとします。あなたは Apple 社に対し、iPhone 11 Pro 用のカメラを売り込むプレゼンを行わなければなりません。競合相手は有名で定評のあるカメラ・メーカー、Camera X です。あなたの会社は中小企業なので、積極的にアピールして大手の Camera X にも対抗できることを証明する必要があります。

第 1 部では、Apple 購買部の幹部の注目を集めることができました。 第 2 部では、あなたは彼らの理解を得られました。ここまでの注目と理解を得られた状況は悪くありません。さて第 3 部ではいよいよ、市場シェアのトップ企業である Camera X と比較して自社製品の強味を強調し、あなたの会社が Apple 社にとって最適の取引相手であることを証明しなければなりません。

次の 4 つの観点からカメラの信頼性（Reliability）を比較するレーダー・チャートを表示します。

- **Consistency**　シャッターが常に適切に機能する一貫性
- **Scratch resistance**　レンズのガラスが硬く傷がつきにくい耐久性
- **Crack resistance**　衝撃や急激な温度変化があっても壊れない耐クラック性
- **Lifetime**　製品寿命（カメラが製品寿命の間に撮影できる写真の枚数）

スライド 1

両社のカメラの寿命は同じですが、カメラの一貫性、耐久性、耐クラック性においてあなたの会社のカメラのほうが優れています。 Apple は、携帯電話の製品寿命の期間にはカメラが故障しないと確信できるため、これは重要です。 あなたは次のように英語でアピールすることができるでしょう。

This radar graph compares reliability of My Eye Camera with a competitor. We define reliability to mean consistency, scratch resistance, crack resistance, and lifetime. The orange line is My Eye, the black is our competitor. Please note: although the lifetime is about the same, My Eye is superior in every other category. This is important to you because you can be sure the camera will not fail during its lifetime.

このレーダー・チャートは、My Eye Camera社の信頼性を競合他社と比較しています。信頼性とは一貫性、スクラッチ耐久性、耐クラック性、および製品寿命を意味しています。オレンジ色の線はMyEye Camera、黒い線はライバル社製品です。寿命はほぼ同じですが、My Eyeは他のすべてのカテゴリで優れていることにご注目ください。これはカメラがその製品寿命の間に故障しないということであり、みなさんにとって重要なはずです。

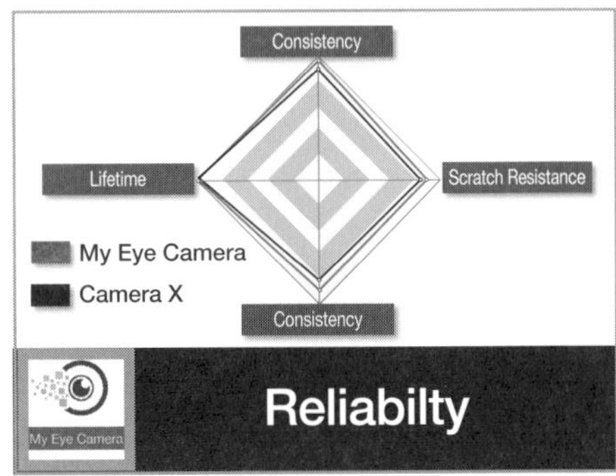

（カメラの信頼性）

プレゼンの鉄則

このタイプのグラフは「レーダー・チャート」(radar chart) と呼ばれます。レーダー・チャートを活用して、2つ以上の異なる製品、サービス、またはテクノロジーの各要素を比較しましょう。

スライド 2

025

次のスライドでは価格を比較します。折れ線グラフは最初はあなたの社のカメラのほうがライバル社のものよりも高価ですが、Apple 社が大量に購入した場合、あなたの社のカメラのほうが安価となる事実を示しています。Apple 社が 8000 または 9000 台の注文を出した場合、カメラ 1 台あたり約 12 ドル節約できることに注目してください。この種の節約は顧客や株主に還元できるので重要です。あなたは次のように英語で説得することができます。

This line graph compares price per 1,000 units of the two cameras. Again the orange line is My Eye, and the black is another camera. The key point of this slide is that when you place orders of 8 to 9 thousand, you save almost $12 dollars per camera. This is important to you because this kind of savings can be passed on to the customer or the shareholder.

この折れ線グラフは、2種類のカメラの1,000ユニットあたりの価格を比較しています。くり返しになりますが、オレンジ色の線はMy Eye Cameraで、黒い線は別のカメラです。このスライドの要点は、8～9000の注文をすると、カメラ1台あたり約12ドルの割引ができることです。この種の割引は顧客や株主に還元できるため、これはみなさんにとって重要なはずです。

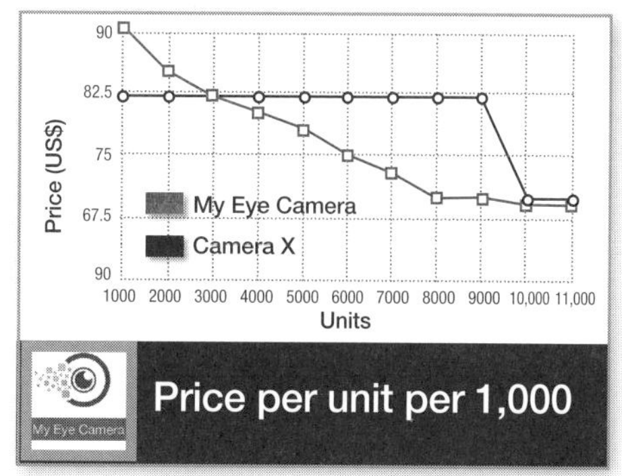

（1000台ごとの単価）

スライド3

026

次のスライドでは、カメラの品質（quality）を比較しています。

1. 解像度　resolution　（メガピクセル数）
2. 色のコントラスト　color contrast　（色がはっきりと区別されます）
3. シャープネス　sharpness　（輪郭のコントラストを強調し、ディテールを捕えます）
4. フォーカス　focus　（異なる距離でもクリアに写ります）

My Eye Cameraは、4つのカテゴリーのうち3つの点で優れていることに注目してください。あなたは次のように英語でアピールすることができます。

Here is another radar graph. This one compares quality. We defined quality as resolution, color contrast, sharpness, and focus. The point I want to emphasize here is that My Eye is superior in three of the four areas. And, in particular, My Eye's resolution and sharpness is significantly better. This is important to you because the new iPhone's camera will be significantly better than the previous camera.

これは別のレーダー・チャートです。品質を比較しています。我々は品質を解像度、色のコントラスト、シャープネス、フォーカスと定義しました。ここで強調したいのは、My Eye Cameraは4つの領域のうち3つの点で優れているということです。特にMy Eye Camera

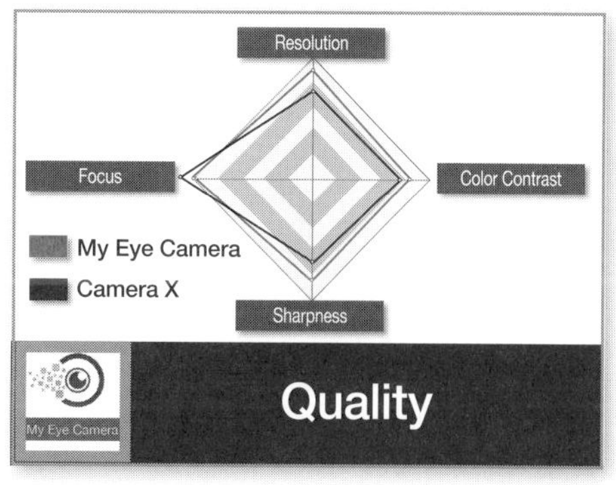

（カメラの品質）

の解像度とシャープネスは著しく優れています。新しいiPhoneのカメラは以前のカメラよりもはるかに優れているため、ここで述べた点はみなさんにとって重要なはずです。

プレゼンの鉄則

競合他社のデータがわからない場合は「業界平均」を使用しましょう。また、比較する会社や製品の名前を必ずしも特定する必要はありません。例えば自分の会社を東芝と比較する場合、東芝は「T社」と言い換えてもいいでしょう。あなたの会社のコンピュータをDynabookと比較する場合は「コンピュータD」と簡単に言い換えることもできます。

スライド 4

027

第 3 部の最後のスライドは、2 台のカメラ間の競争をまとめた比較表です。あなたは次のように英語でアピールすることができます。

This slide summarizes the three areas of quality we have compared: reliability, price, and quality. As you can see, My Eye Camera scores higher in all three areas. We believe this will give Apple an advantage as a manufacturer, and will provide a better experience for the iPhone user.

このスライドでは、信頼性、価格、品質という、我々が比較した品質に関する3つの領域をまとめました。ご覧のとおり、My Eye Cameraは3つの領域のすべてで高いスコアを示しています。これにより、Appleが製造業者として有利になり、iPhoneユーザーにより良い経験が提供されると信じています。

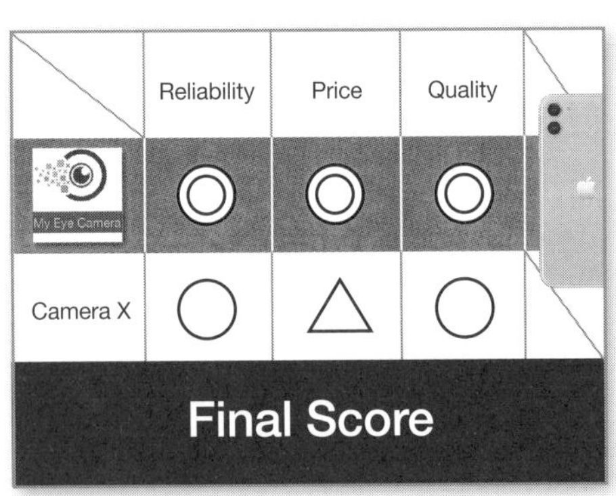

（最終的な評価）

プレゼンの鉄則

レーダー・チャートやその他のグラフを使って具体的な比較を行った後、比較した結果を表にまとめましょう。

Column

技術系プレゼンの場合の「比較」

技術系のプレゼンを行う場合は、斬新で、従来の技術にはなかったものを提案しましょう。例えば新しい研究や新発見、あなたの専門分野における最先端の知見、または最新技術で生み出された新しいアプリケーションなどです。この場合、競合とはどのように比較しますか？　また、この「比較する」という重要なプレゼン戦略をどのように活かしますか？

技術系のプレゼンについて考えるときのもう１つの方法は、自分の役割を見つめ直すことです。あなたの仕事は、あなたの研究や技術について聞き手に伝えることです。あなたの研究は新しく、最先端であるがため、聞き手にとっては耳慣れないものです。なじみのないものを相手に伝える最善の方法は、なじみのあるものと比較することです。

例えばほとんどの日本人にはなじみがないアメリカンフットボールについて伝えたい場合は、ラグビーやサッカーといった日本人にとってより身近なスポーツと比較する必要があります。まずそれらの類似点を紹介してから、次に相違点を紹介しましょう。耳慣れない話題に移る前に、聞き手が知っている共通の話題から始めるのです。したがって技術系のプレゼンでは、従来の技術と新しい技術を比較しましょう。聞き手は従来の技術には精通しています。従来の技術の限界を紹介し、新しい技術ではこれらの限界をどう克服するかを提示します。技術系のプレゼンで「比較」を行うことで、あなたが専門とする技術とその重要性を、よりわかりやすく理解してもらうことができます。

比較してこそ、データが活きる！

比較することで、自社の強味を聞き手に理解してもらえます。比較することで初めて数値と具体例が意味を持つのです。例えば製品の重量が 10 グラムであるという事実だけを聞き手に伝えてもあまり意味がありません。競合他社の製品が 15 グラムである事実と比較することで、あなたの社の製品が他社の製品の 3 分の 2 の重さしかない軽量性に優れた製品であることに気づいてもらえます。聞き手に証明し、ちがいが伝わってこそ、強味として評価されます。こうしてあなたの社の製品がより優れた製品であるという点で彼らの同意を得ることができるのです。

第3部のまとめ

おめでとう！　第3部までの説明が完了しました。これで、競合相手や業界平均、従来の技術と比較することで自社の強味をアピールし、聞き手の同意を得るスキルが習得できました。第4部に進む前に、第3部の理解度を確認するための簡単なクイズをご確認ください。

1	第 3 部では、あなたが勝利するために打ち負かさなければならない競合との比較を行います。	○	×	わからない (p.62)※
2	業界大手と比較することで、自社製品を自信をもってアピールすることができます。	○	×	わからない (p.63)
3	競合との露骨な比較をためらうのは文化的なものかもしれません。	○	×	わからない (p.64)
4	技術系のプレゼンでは、新しい技術と従来の技術を比較します。	○	×	わからない (p.69)

※わからない人はここに書いたページを再確認してみましょう。

第4部 Dealing with weaknesses 弱点をフォローする

第1部ではプレゼントのプロットや骨子を提示して聞き手の関心をつかみ、第2部ではプロットの詳細について聞き手に理解してもらいました。第3部では競合比較することで強味を証明し、あなたが推す商品やサービスこそが聞き手のニーズに最も適しているという点で同意を得ることができました。

第4部ではいよいよ聞き手に行動を起こしてもらい、製品の購入や計画の承認につなげたいところです。そうするには聞き手の関心・理解・同意を得られればそれで十分なのでしょうか？　いいえ。再び映画や小説について考えてみてください。ほとんどすべての物語で、ヒーローや悪役には弱点がつきものです。インディアナ・ジョーンズの弱点はヘビでした。オズの魔法使いの魔女の弱点は水でした。スーパーマンの弱点はクリプトナイトでした。

主人公とライバルの勝負の行方は、どちらが自分の弱点を守り切れるかによって決まることが多いです。トロイでは英雄アキレスはかかとを保護できなかったせいで亡くなりました。ダース・ベイダーはデス・スターの弱点を突かれて負けました。同様に、プレゼンの成否もこの第4部で決まる可能性があります。

第4部では、弱点をフォローする必要があります。世の中のあらゆる製品・サービス・技術・計画・提案・アイデアにはどこかに弱点があります。一般の人から見た弱点です。それは価格かもしれませんし、インストールにかかる時間かもしれませんし、バッテリーの寿命かもしれません。バッテリーの再充電時間かもしれませんし、カラー・オプションの不足かもしれませんし、配達時間の長さかもしれません。「聞き手にはどうせわからないだろう」などと軽く見ないでください。侮ってはいけません。彼らは弱点を知っています。彼らはあなたが弱点を隠そうとするかどうか、見張っていますから、隠したり、避けようとしないでください！　隠したり、避けたりするのは不誠実な態度に見えます。問題を先送りにして、質疑応答のセッションまで引き延ばすのもやめてください。それは得策ではありません。Q＆A形式での双方向のディスカッションでは弱点をフォローするのがはるかに困難になるからです。

ですから、この第４部で弱点に対処します。弱点を克服する方法を聞き手に示します。問題が実は問題ではないことを示すのです。または、問題を簡単に解決する方法を提示します。あるいは弱点は実は大したことではないとか、聞き手にはあまり関係がないという示し方でも構いません。いずれにせよ、弱点に対する明確な対処法・解決法を聞き手に示す必要があります。弱点に対して聞き手が懸念している点こそが、あなたの製品やサービス、技術を導入することを妨げている理由です。この障害を克服しない限り、聞き手はあなたの主張を支持しません。

課題 あなたの製品の弱点を考えよう！

ここであなたの社の製品・サービス・提案の弱点を考えてみましょう。

弱点をフォローするときの３つのステップ

仮にあなたはユニバーサル・スタジオ・ジャパンで働いていて、投資家にプレゼンを行うとします。競合は東京ディズニーリゾートです。第４部では、投資を躊躇している聞き手が心配したり、懸念している点を払拭しなければなりません。英語力とはほとんど関係なく、次の３つの簡単なステップで弱点をフォローすることができます。

ステップ 1 **調子を変えて、注意を引く**

ステップ 2 **弱点を正直に発表する**

ステップ 3 **弱点の対処法を提示する**

ステップ 1 調子を変えて、注意を引く

プレゼンで弱点にふれた部分を印象的なものにするためには、思い切ってそれまでとは調子を変える必要があります。聞き手にショックを与え、目覚めさせてください。これこそが私が長年受講者に教えてきたテクニックです。PowerPoint を使用している場合は「B」を押します。画面が真っ暗になり、聴衆は起き上がって何が起こったのだろうと思います。今、会場にはあなた

と聴衆だけです。あなたに注目が集まります。聞き手に向かって少し前進してください。この動作を入れることで、聞き手に個人的で親密な印象を与えるメッセージを出すことができます。

ステップ 2 弱点を正直に発表する

弱点が何であるか聞き手に話しましょう。正直に、直接的な言葉で言ってしまいましょう。そのほうがかえって聞き手の信頼を得ることができます。これを行うための簡単な3つの英語フレーズを次に示します。

リスニング シンプルな英語で話すには？

028

1. It is true that... （確かに〜です）

It is true that	USJ is farther from Tokyo than Tokyo Disney Resort.
	USJ is not as large as Tokyo Disney Resort.
	Disneyland has many famous characters such as Mickey, Minnie, Donald, and Daisy.

確かに、USJは東京ディズニーリゾートより東京から遠いです。
確かに、USJは東京ディズニーリゾートほど大きくありません。
確かに、ディズニーランドにはミッキー、ミニー、ドナルド、デイジーなどの有名なキャラクターがたくさんいます。

2. Some people may think that... （〜と考える方もいるかもしれません）

Some people may think that	USJ has no exciting characters.
	USJ is too far from Tokyo.
	USJ is not as exciting as Tokyo Disney Resort.

USJにはワクワクするキャラクターがいないと考える方もいるかもしれません。
USJは東京から遠過ぎると考える方もいるかもしれません。
USJは東京ディズニーリゾートほどエキサイティングではないと考える方もいるかもしれません。

3. Some people might worry about... (～についてご心配な方もいるでしょう)

Some people might worry about	the distance.
	the cost.
	the crowds during Golden Week.

距離についてご心配な方もいるでしょう。
値段についてご心配な方もいるでしょう。
ゴールデンウィーク中の人混みについてご心配な方もいるでしょう。

ステップ 3 弱点の対処法を提示する

弱点の対処法や解決策を提示します。事前にスライドを用意しておくことで英語で説明する労力を減らすことができます。次の手順で実行しましょう。

1. **However, please consider this.** (しかし、こう考えてみてください) と言う。
2. コンピュータに戻って「B」ボタンを押します (スライドが再表示されます)。
3. スライドに対処法を提示します。

では、上記の3つのステップを解説しましょう。 例えばUSJの一般的に認識されている弱点は、ディズニーのような主要なキャラクター（ミッキー、ミニー、ドナルド、デイジーなど）がいないことではないでしょうか。プレゼンでこの問題に対処する必要があります。聞いてみましょう。

リスニング シンプルな英語で弱点をフォローしよう！

Some people may think that USJ has no exciting characters. However, please consider this: USJ has many exciting characters such as Hello Kitty, Snoopy, Super Mario Brothers, and most importantly, the characters from Harry Potter! So, you see, USJ has as many exciting characters as Disney, if not more.

USJには胸が踊るようなキャラクターがいないと思う人もいるかもしれません。でも、こう考えてみてください。USJには、ハローキティ、スヌーピー、スーパー・マリオブラザーズなどの多くのエキサイティングなキャラクターがいますし、重要なのはハリー・ポッターのキャラクターもいることです！　つまり、USJにはディズニーに匹敵する多くのエキサイティングなキャラクターがいるのです。

3つのプレゼンを聞いてみよう！

ここでは、主要企業がどのように弱点に対処したかを表す3つのケース・スタディを示します。

ケース・スタディ 1 「三井造船」の場合

1980年代初頭、私は三井造船（MES）で働いていました。当時、日本の造船業は成熟していて労働者の人件費は高騰し、韓国の新興の造船業が日本の市場シェアに挑戦し始めていました。日本の造船業者は経験豊富で技術も優れていましたが、韓国の船は労働者の人件費が日本の約1/4だったため船の値段も安価でした。聞き手は三井造船に興味があり、その品質と信頼性を理解し、三井造船が彼らのニーズに最適な船であることに同意していましたが、彼らはまだ安価な韓国船についても検討していました。そこで私は価格に関して次のように答えました。

リスニング　弱点に対処するには？①

It is true that some of our competitors offer a lower price.
However, please consider this:
This slide compares the lifetime of our ships and our foreign competitor.
Due to the quality of Japanese steel, our ships have a lifetime of approximately 13 years. That means you can get up to an extra 3 years of use from an MES ship.

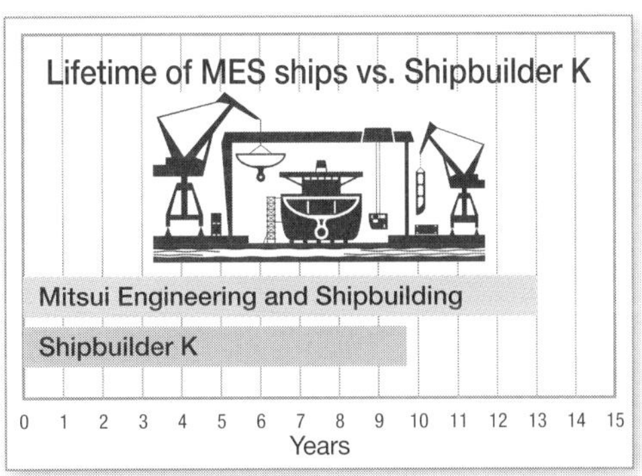

（三井造船とK社の耐久年数の比較）

一部の競合他社は確かにより低価格で提供しています。ただし、この点を考えてみてください。このスライドでは、私たちの船と外国の競合他社の船の（商品）寿命を比較しています。日本の鋼鉄の品質によって私たちの船の寿命は約13年です。つまり、三井造船の船であれば最大で3年以上長く使用することができるのです。

ケース・スタディ 2 「ヒュンダイ社」の場合

1986 年、韓国の自動車メーカー、ヒュンダイはエクセルというモデルで米国市場に参入しました。その低価格がうけ、エクセルはその年に 126,000 台という記録的な台数を売りました。しかし、エクセルはしばしば壊れたので、ヒュンダイの評価は良くありませんでした。ヒュンダイはその車を再設計することで対応しました。しかし、ヒュンダイはその悪評に対処するには積極的な行動を取る必要があると考え、エクセルに 10 年間と 100,000 マイルの保証をつけました（これは日本車が平均的につける保証のほぼ 2 倍です。日本車の保証平均は 5 年で 60,000 マイルでした）

リスニング 弱点に対処するには？②

031

Some people might still worry about reliability.
However, please consider this:
This graph shows that we offer a 10-year 100,000 mile warranty. That is almost 2 times longer than the warranty offered by Japanese car makers. This shows we are more confident in our cars than our competitors. We assume the risk, not you.

一部の人々はまだ信頼性について懸念があるかもしれません。しかし、この点を考慮してください。

このグラフは、10年間で100,000マイルの保証を提供していることを示しています。これは、日本の自動車メーカーが提供する保証（期間）のほぼ2倍です。これは競合他社よりも自社の車に自信があることを示しています。みなさんではなく我々がリスクを取ります。

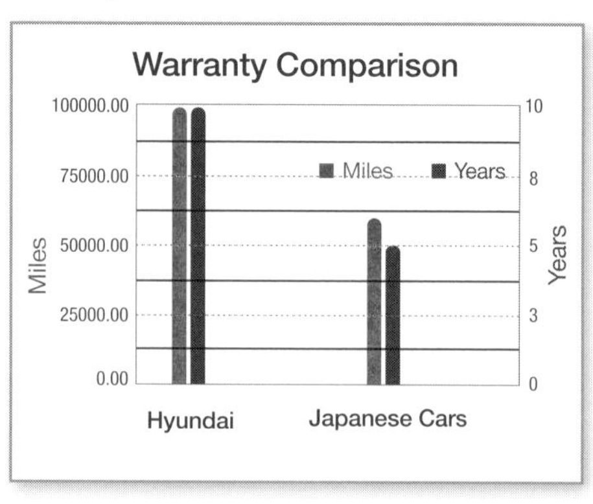

（保証期間の比較）

ケース・スタディ 3 「Apple社のMacBook Air」の場合

2008年にApple社は最初のMacBook Airコンピュータを発売しました。フルサイズのキーボードを備えた軽量の新世代コンピュータでした。ディスクドライブはありませんでした。 MacBook Airは明らかに最先端のコンピュータであり、Apple社はデータストレージの次の段階はディスクストレージではなくクラウドストレージになると予想していました。したがって、Macbook Airにはディスクドライブがありませんでした。これは未来の潮流でしたが、一部の年配ユーザー（私のような！）は、これを弱点と見なしていました。その弱点への対処法の例を次に示します。

リスニング 弱点に対処するには？③

032

It is true that the MacBook Air has no disk-drive.
However, please consider this:
This slide shows the evolution of storage. Just as computers today have moved away from floppy disk storage to CD storage, we are now moving away from disk and USB storage to cloud storage. Cloud storage is the future. Disk storage is the past. Of course, you can still use your USB. And, in addition, cloud storage is almost limitless.

MacBook Airにはディスクドライブがないのは事実です。ただし、こう考えてみてください。

このスライドはストレージの進化を示しています。今日のコンピュータがフロッピーディスクストレージからCDストレージに移行したのと同様に、現在、ディスクおよびUSBストレージからクラウドストレージに移行しつつあります。クラウドストレージは未来です。ディスクストレージは過去のものです。もちろん、USBを使用することもできます。さらに、クラウドストレージはほぼ無制限です。

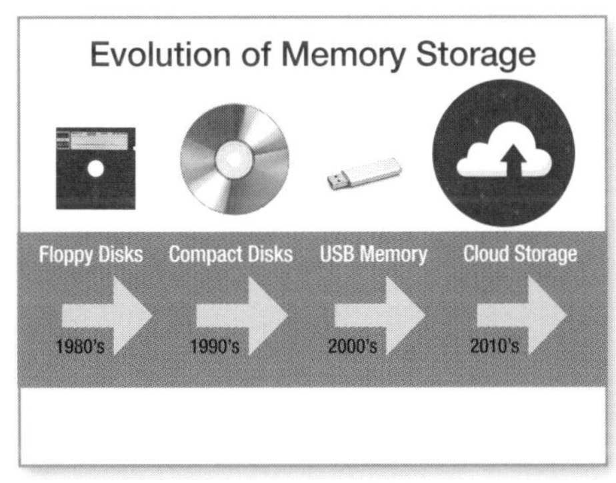

（メモリー・ストレージの革命）

課題　弱点について言及しよう！

ここであなたの社の製品やサービス、提案・計画・アイデアの弱点を想定してみてください。それを次の３つのステップで弱点をフォローしましょう。

1. 調子を変えて、注意を引く

コンピュータで「b」を押して画面を黒くし、聞き手の注意を引いてください。それから聞き手のほうに向かって少し前進します。

2. 弱点を正直に発表する

実際に自分が弱点について解説している場面を想定してください。具体的には何と言いますか？

3. 弱点の対処法を提示する

ここで、弱点への対処法を説明している自分を想定してみてください。あなたの考え出した解決策は何でしょうか？　また、どんなスライドを使用しますか？　具体的には何と言ってフォローしますか？

聞き手の注意を引く	弱点を正直に発表	対処法を提示	スライドをイメージする

第３部と第４部は攻防一体！

第３部では競合と比較して自らの強味を証明することで聞き手の同意を獲得し、さらに第４部では自らの弱点を明かすことで聞き手の信頼と支持を勝ち取り、聞き手の行動（購買や注文など）を促しました。この第３部と第４部は表裏一体で、次のように捉えることもできます。プレゼンをスポーツと考えてください。優勝チーム（優勝プレゼン）となるには攻撃と防御の両方が大事です。優勝チームまたは成功チームの例は次のとおりです。

- 東京ジャイアンツ
- ニューヨーク・ヤンキース
- マンチェスター・ユナイテッド

- 米国女子サッカーチーム
- オールブラックス
- マイケル・ジョーダンのシカゴ・ブルズ
- ステフィン・カリーのゴールデンステート・ウォリアーズ

これらのチームはすべて、優れた攻撃力と防御力を備えていたため、優勝チームとして成功しています。オフェンスは、スコアリングゴール、スコアリングラン、スコアリングバスケットなどを駆使して競合チームから点を取ります。ディフェンスは、ブロック、セーブ、キャッチ、ストライクアウト（三振）などを駆使して他のチームから点を取られるのを防ぎます。

プレゼンにおけるオフェンスとは「競合と比較すること」で、これによって自社の製品やサービスの強味を証明し、競合相手に対してポイントを稼ぎます。あなたの社の製品は10%安く（10ポイント獲得！）、7キログラム軽量で（7ポイント獲得！）、さらに2種類の色が選べます（2ポイント獲得！）。競合他社もプレゼンで比較を行い、ポイントを獲得することも頭に入れておいてください。プレゼンの最後には、競合他社よりも多くのポイントを獲得する必要があります。

プレゼンにおけるディフェンスとは「弱点をフォローすること」です。これによって他のチームがあなたに対して優位なポイントを獲得することを防ぎます。例えば競合相手よりも価格が高いことが弱点なのに、あなたがそれをフォローするのを怠った場合、競合相手は価格を比較することであなたに対して優位なスコアを獲得してしまいます。バッテリーの寿命が短いのが弱点なのに何のフォローもしない場合、競合相手を優位に立たせてしまいます。あなたの弱点が何であれ、競合相手は間違いなくそこを突いて優位に立とうとしてきます！　ですから、優勝できる強力なプレゼンを準備してください！　比較することで強味をアピールして点数を稼ぎ、弱点をフォローすることで競合が優位に立つのを防ぐのです。

第4部のまとめ

聞き手のことを理解しましょう。聞き手は何をあなたの弱点だと考えているのかを確実に把握してください。	□ (p.72)
次の手順で弱点に対処しましょう。 **1.** それまでと調子を変えて、聞き手の注意を引きます！ **2.** 弱点を正直に明かします。 **3.** 弱点の対処法を提示します。	□ (p.72)
弱点への対処法を示したスライドを事前に準備します。そうすることで、英語を使って口頭で説明する労力を省きましょう。	□ (p.74)
プレゼンはスポーツのようなものです。優勝するには攻守の両方に気を配る必要があります。	□ (p.78)

※わからない人はここに書いたページを再確認してみましょう。

第5部 The Closing Act クロージング

ついにプレゼンの終盤、最終段階です。クロージングは短くシンプルでなければなりません。映画には２種類のエンディングがあります。最も一般的なエンディングは「ハッピーエンド」でしょう。映画のテーマ音楽が流れ始め、クレジットが入ります。もう１つのエンディングは、『バック・トゥ・ザ・フューチャー』のラストのような **To Be Continued**（次回に続く）のエンディングです。『バック・トゥ・ザ・フューチャー』の第１作のエピソードは、続編へのセットアップでした。そうやって観客に次の心構えをしてもらうのですね。

ハッピーエンド・クロージングとは？

プレゼンの最後に聞き手に結論を出してもらいたいとき、あるいはプレゼンの内容を覚えておいてもらいたいときは、プレゼンにハッピーエンド・クロージングを採用します。ハッピーエンド・クロージングにおける重要な指針は「新しい情報はありません！」ということです。事前にふれられなかった新しい情報をプレゼンの締めくくりに持ち出さないでください。そんなことをしたらあなたが突然提示した新情報を処理するのに聞き手側は時間を要してしまいます。エキサイティングで興味深い新情報が締めくくりで金のように輝き、聞き手側の心を捕えてしまいます。焦点は新情報に移り、聞き手は結論を出すことに集中せず、質疑応答セッションでそれについて聞きたいと思ってしまうでしょう。

ハッピーエンド・クロージングでは、議論を避け、聞き手に最終決断を下す準備をしてもらわなければなりません。つまり、ハッピーエンド・クロージングとは基本的にプレゼンの内容を要約したものなのです。聞き手にプレゼンのハイライトを思い出してもらいましょう。ハッピーエンド・クロージングは、セールスのプレゼン、提案・計画に関するプレゼン、または聴衆が決定を下したり、聴衆に行動を起こさせたり、聴衆の同意や承認を得たりするプレゼンで一般的に使われます。ハッピーエンド・クロージングは、経営者が行うプレゼンでも一般的に採用され、聞き手に覚えてもらいたい情報を提供します。短い要約とは、聞き手が覚えやすく、明確でシンプルでテイクアウト(お持ち帰り)しやすいものなのです。

TBC クロージングとは?

To Be Continued（次回に続く）タイプのクロージング（以下、TBC クロージング）を使う場合、プレゼンはメインイベントではなく、次に続く質疑応答セッションのための前座に過ぎません。この場合のプレゼンの役割とは、聞き手との間に刺激的な情報が飛び交う、想定外で興味深いディスカッションができるよう聞き手を導くことです。

ハッピーエンド・クロージングの場合、結論に持っていくために議論の扉を閉ざしたのを思い出してください。一方、TBC クロージングの場合、議論の扉は開かれています。したがってハッピーエンド·クロージングとは異なり、TBC クロージングには、議論の起爆剤となる興味深い情報、未来につながる質問、次の段階に進むためにクリアすべき問題点や今後の検討課題を紹介する必要があります。主要な争点を提起し、起こり得る問題についても仔細に検討しましょう。この場合、聞き手もまたリソースの一部です。聞き手にも積極的に関与してもらって想定外の意見やアイデアを引き出しましょう。

TBC クロージングは、質疑応答で展開する議論のためのフレームワークを提供します。TBC クロージングは、技術系のプレゼンや学会でのプレゼンで一般的に使われます。ブレーンストーミングのための前座として使われることもよくあります。

課題　どちらのクロージングが当てはまるか?

ここであなたが過去に行ったプレゼンや、将来行う予定のあるプレゼンについて考えてみてください。ハッピーエンド・クロージングと TBC クロージングのどちらが、あなたのプレゼンに適していますか?

ハッピーエンド・クロージングの作り方

ハッピーエンド・クロージングとは、正真正銘の要約です。これは第１部（プレゼンの序盤）と、第２～４部（プレゼンの中盤）とを合成したものです。これには序盤で登場した概要の主要ポイント（要点、メインポイント）や、中盤で登場した重要なカギとなる数値や具体例、または注目ポイント（焦点、フォーカスポイント）なども含まれます。

例として、第１部で挙げた例からダース・ベイダーの概要（p.44）を見てみましょう。３つの主要ポイントがあります（下表参照）。ダース・ベイダーの要約には３つの主要ポイントと注目ポイントがくり返し使われています。注目ポイントとは、彼のプレゼンの中盤で登場した重要な数値や具体例です。この場合、**Unique Death Ray**（比類のない殺人光線）は１つ目の主要ポイントの中でも、とりわけ注目すべきポイントです。**The power 20 starships**（20隻の宇宙船の戦力）は２つ目の主要ポイントの中でも特に注目すべきポイントです。**Vulnerable for the next 48 hours**（次の48時間の間、攻撃されやすい）は、３つ目の要点の中でも特別に注目すべきポイントです。

主要ポイント

Overview

1. Introducing Death Star Technology
2. Demonstrating the Superiority of DST
3. Protecting the Death Star

概要

1.デス・スター技術の紹介
2.デス・スターの優秀性の提示
3.デス・スターの防衛

主要ポイントと注目ポイント

Using DST to Crush the Rebellion

1. **Introducing Death Star Technology**
   Unique Death Ray
2. **Demonstrating the Superiority of DST**
   The power 20 starships
3. **Protecting the Death Star**
   Vulnerable for the next 48 hours

デス・スターを使って、反乱軍を倒す！

1. デス・スター技術の紹介
   比類のない殺人光線（スーパーレーザー砲）
2. デス・スター技術の優秀性の提示
   20隻の宇宙船の戦力
3. デス・スターの防衛
   今から48時間の間、攻撃されやすい

次に、例１と例２の２つの要約スライドを比較しましょう。あなたはどちらがいいと思いますか？　またその理由は？

例1

Localizing USJ Attractions and Characters to Increase Attendance

1. **Popularity of USJ**
   Always popular
2. **Rides and attractions**
   More every year
3. **USJ character familiarity**
   Many famous characters

USJのアトラクションとキャラクターをローカライズして、入場者数を増やす

1. USJの人気
   常に人気
2. 乗り物とアトラクション
   毎年もっと
3. USJキャラクターの親しみやすさ
   多くの有名なキャラクター

例2

Localizing USJ Attractions and Characters to Increase Attendance

1. Popularity of USJ
   4% growth over past 5 years
2. Rides and attractions
   Super Nintendo World 2020
3. USJ character familiarity
   Hello Kitty, Snoopy, Harry Potter

USJのアトラクションとキャラクターをローカライズして、入場者数を増やす

1. USJの人気
   過去5年間で4%の増加
2. 乗り物とアトラクション
   スーパーニンテンドーワールド2020
3. USJキャラクターの親しみやすさ
   ハローキティ、スヌーピー、ハリー・ポッター

もちろん例2の要約スライドのほうがはるかに優れています。どうしてか？例2は具体的ですが、例1のスライドはあいまいだからです。あいまいな注目ポイントなんて記憶に残りません。それに比べ、例2のスライドにある具体的な情報、特に数値は記憶に残りやすいものです。あなたの仕事は記憶に残るプレゼンをすることです。この結論部での要約こそがプレゼンの「テイクアウト」（お持ち帰り）すべきものなのです。聞き手があなたの要約の（精神的な）写真を撮って、同僚や上司、あるいは受講生の友人たちに報告できるようにしましょう。そのためにも、具体的な注目ポイントを伴ったシンプルで明確な要約が必要なのです。

! プレゼンの品質を高めよう！

私はこれまでプレゼン講習を受ける受講者には、常に要約スライドをチェックするように指導してきました。要約の情報があいまいな場合は、第1～3部の内容があいまいである、つまり、プレゼンの本論に強力な注目ポイントがない可能性があります。そうなっていたら大きな問題です。第2部ですでに具体的な情報こそが貴重であると強調しました。要約があいまいな場合は、プレゼンの内容をより具体的にして、注目ポイントをより明確で価値があり、記憶に残りやすいものにするために、プレゼンの内容を練り直す必要があるでしょう。

ハッピーエンド・クロージングを簡単な英語で！

ここで朗報です！　ハッピーエンド・クロージングを英語で話すのはとても簡単です。何しろ話す必要のある英語のほとんどすべてが要約スライドに表示されているのですから。必要なのは、次の4つの簡単なステップを実行して、要約スライドを聞き手に示すことだけです。

ステップ 1 **クロージングへ移行する**

ステップ 2 **プロットをくり返す**

ステップ 3 **要約する**

ステップ 4 **聞き手に感謝し、質疑応答へ移行する**

ステップ 1 クロージングへ移行する

聞き手の注意は、プレゼンの冒頭が最も高く、その後徐々に減少していきます（下図を参照）。

● **Audience Attention During Presentations**

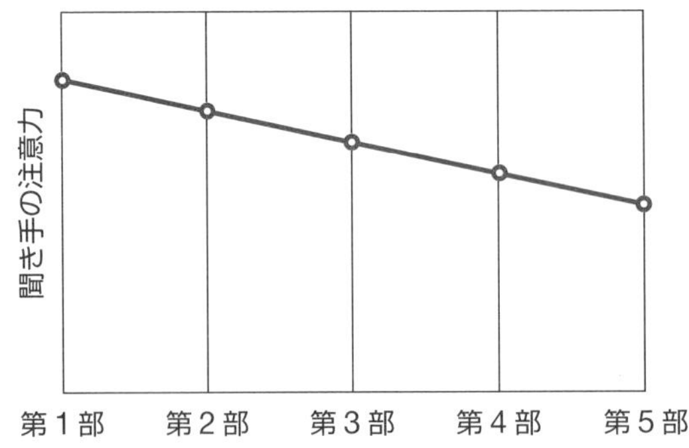

（プレゼン中の聞き手の注意力）

● In conclusion,...

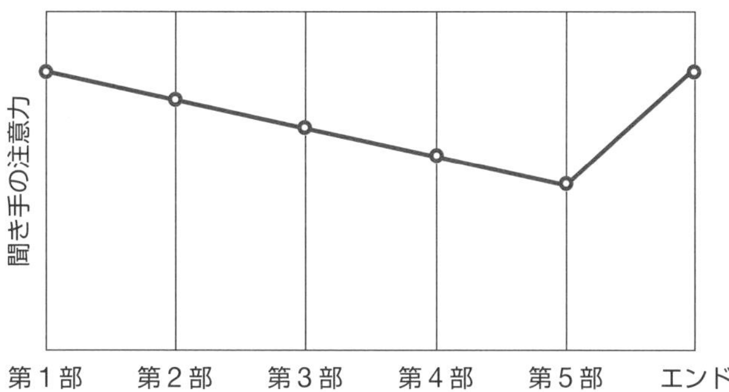

（プレゼン中の聞き手の注意力）
In conclusion,... という言葉が出ると……。

そこで聞き手を目覚めさせ、彼らの注意を結論へと集める必要があります！でもどうやって？　**In conclusion,...**（結論として……）という魔法の言葉を言うだけです。この言葉を聞いたときに聞き手姿勢を正し、再び集中し始めます（上図参照）。「これでプレゼンも終わりだ！」と期待し、休憩や質疑応答などそれまでとは異なる展開を期待します。あなたのプレゼンがどんなに良かったとしても、聞き手は次第に落ち着きをなくし、ペースの変化を望むものなのです。

ステップ 2 プロットをくり返す

次に、プレゼンの主要なプロット（骨子、トピック）を聞き手に思い出してもらいます。例えプレゼンの冒頭ですでに聞き手が聞いていたとしても、再び記憶をリフレッシュして思い出してもらう必要があります。この場合、すでに話したことをくり返すので、英語では基本的に過去形を使用します。

リスニング シンプルな英語で話すには？

クロージングへの移行	過去形	プロット
In conclusion,	today I talked about: today's topic was: this afternoon we looked at:	Using Death Star Technology to Crush the Rebellion. Utilizing Genie Power to Save Jasmine's Kingdom. Offering "Kibidangos" to Build Strategic Alliances.

結論として／今日私は～について話しました／デス・スターの技術を使って反乱軍を滅ぼすこと
結論として／今日のトピックは～でした／魔人ジーニーの力を使ってジャスミンの王国を救うこと
結論として／今日の午後は～を見てきました／「キビダンゴ」を与えて戦略的提携を構築すること

ステップ 3 要約する

次にプレゼンのハイライトを聞き手に思い出してもらいます。要約スライドに主要ポイントと注目ポイントを表示して聞き手を誘導します。次のようなシンプルな英語を使います。

リスニング 要約するときの英語フレーズ

順番	～に関して	主要ポイント	注目ポイント
First,	regarding	Death Star Technology:	Please remember: the unique death ray.
Second,	regarding	The Superiority of DST:	Please remember: the power of 20 starships.
Third,	regarding	Defending the Death Star:	Please remember: it is vulnerable for the next 48 hours.

初めに、／～に関して／デス・スター の技術／比類のない殺人光線について覚えておいてください。
2番目に、／～に関して／デス・スター の優位性／20隻の宇宙船という戦力を覚えておいてください。
3番目に、／～に関して／デス・スター の防衛／この後、48時間は攻撃されやすいことを覚えておいてください。

ステップ 4 聞き手に感謝し、質疑応答へ移行する

モーツァルトのオペラに関してこんなアドバイスがあります。「最後に拍手喝采とスタンディングオベーションを得るには、これで終わりだと聞き手に知らしめ、拍手喝采に値すると彼らに思わせるだけの力強くパワフルなエンディングが必要だ」というアドバイスです。エンディングが力強いほど拍手喝采も大きくなるものです。これまでに多くのプレゼンを行い、また見てきた私の経験から言ってもそうです。自信をもって力強く終了すると、力強い拍手が起こります。ためらいがちな声で終わると、聞き手も弱い拍手で反応します。力強く、自信をもって仕上げるための英語フレーズがこちらです。

リスニング 力強く絞めるときの英語フレーズ

聞き手に感謝する	質疑応答を促す
Thank you for your attention!	Are there any questions?
Thank you!	Questions please!
Thank you for listening!	Questions?

ご清聴ありがとうございます！／何かご質問はありますか？
ありがとうございます！／ご質問をお願いします。
聞いていただきありがとうございます！／ご質問は？

それでは、4つのステップをすべてまとめてみましょう。

リスニング　シンプルな英語で締めるには？ ①

1	クロージングへ移行する	In conclusion,...
2	プロットをくり返す	Today's topic was Using Death Star Technology to Crush the Rebellion.
3	要約する	First, regarding Death Star Technology, please remember: the unique death ray. Second, regarding The Superiority of DST, please remember: the power of 20 starships. Third, regarding Defending the Death Star, please remember: Vulnerable for 48 hours.
4	聞き手に感謝し、質疑応答へ移行する	Thank you for your attention. Are there any questions?

結論として……

今日のトピックは、デス・スターの技術を使って反乱軍を滅ぼすことでした。

まず、デス・スターの技術に関しては、比類のない殺人光線を覚えておいてください。

2番目に、デス・スター技術の優位性に関して、20隻の宇宙船という戦力について覚えておいてください。

3番目に、デス・スターの防御に関して、48時間は攻撃されやすいことを覚えておいてください。

ご清聴ありがとうございました。何か質問はありますか？

リスニング　シンプルな英語で締めるには？ ②

1	クロージングへ移行する	In conclusion,...
2	トピックをくり返す	Today, I talked about: Localizing USJ attractions and characters to increase attendance.

3	要約する	First, regarding the Popularity of USJ, please remember: 4% growth over the past 5 years. Second, regarding Rides and Attractions, please remember: Super Nintendo World 2020. Third, regarding USJ character familiarity, please remember: Hello Kitty, Snoopy, and Harry Potter
4	聞き手に感謝し、質疑応答へ移行する	Thank you! Questions please!

結論として……

入場者数を増やすために、USJのアトラクションとキャラクターをローカライズすることについて今日私は話しました。

まずUSJの人気に関して過去5年間で4%の（入場者数の）増加率だと覚えておいてください。

2番目に、乗り物とアトラクションに関して「スーパーニンテンドーワールド2020」（がオープンすることを）を覚えておいてください。

3番目に、USJの親しみやすいキャラクターに関して、ハローキティ、スヌーピー、ハリー・ポッターを覚えておいてください。

ありがとうございました。質問をお願いします！

課題 ハッピーエンド・クロージングを自作してみよう！

ここでいったん立ち止まって、あなたが過去に行った、あるいは将来行う予定のあるプレゼンのハッピーエンド・クロージングを作成してみましょう。

1	クロージングへ移行する	In conclusion,...
2	プロットをくり返す	?
3	要約する	First, regarding........., please remember......... Second, regarding........., please remember......... Third, regarding........., please remember.........
4	聞き手に感謝し、質疑応答を促す	?

TBC クロージングの作り方

ハッピーエンド・クロージングで締めくくった場合、質疑応答の内容はあなたが行ったプレゼンの内容から逸脱しないように注意してください。

一方、TBC クロージングの場合はプレゼン内容の範疇を超えた質疑応答も想定しています。ハッピーエンド・クロージングも TBC クロージングも、要約の主要ポイントは同じです。

ただし、ハッピーエンド・クロージングでは要約にさらに具体的な注目ポイントを追加するのに対し、TBC クロージングでは、ディスカッションにつながる問題点を指摘するか、今後の検討課題を提示する点で大きく異なります。ハッピーエンド・クロージングと TBC クロージングの 2 種類のクロージングの具体例を次に示します。

© iStockphoto /OrionM42

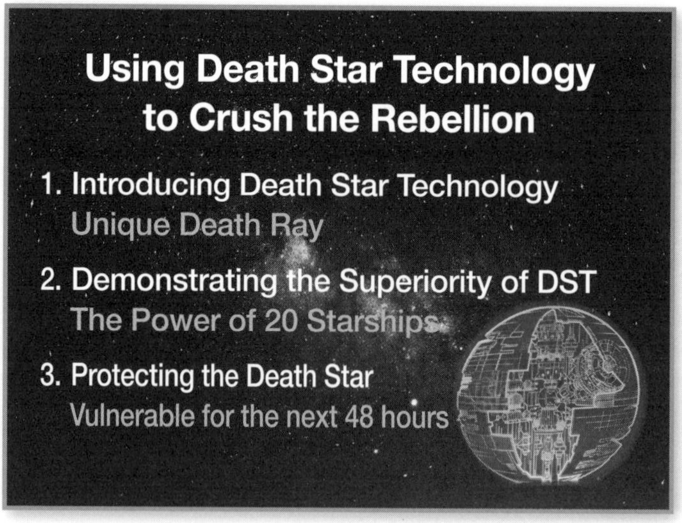

2種類のクロージングを比較しよう！（1）

ハッピーエンド・クロージング

Using DST to Crush the Rebellion

1. Introducing Death Star Technology
   Unique Death Ray
2. Demonstrating the Superiority of DST
   The power 20 starships
3. Protecting the Death Star
   Vulnerable for the next 48 hours

デス・スターの技術を使って、反乱軍を滅ぼす

1. デス・スターの技術を紹介する
   比類のない殺人光線
2. デス・スターの技術の優位性を示す
   20 隻の宇宙船という戦力
3. デス・スターを防衛する
   今後 48 時間は攻撃されやすい

TBC クロージング

Using DST to Crush the Rebellion

1. Introducing Death Star Technology
   Can laser technology achieve similar results as DST?
2. Demonstrating the Superiority of DST
   What is the Influence of gravity?
3. Protecting the Death Star
   New areas of vulnerability?

デス・スターの技術を使って反乱軍を滅ぼす

1. デス・スターの技術を紹介する
   レーザー技術でデス・スターの技術と同様の結果を出すことは可能か？
2. デス・スターの技術の優位性を示す
   重力の影響はどうか？
3. デス・スターを防衛する
   脆弱な領域で新しいものはあるか？

2種類のクロージングを比較しよう！(2)

ハッピーエンド・クロージング

Localizing USJ Attractions and Characters to Increase Attendance

1. Popularity of USJ
   4% growth over past 5 years
2. Rides and attractions
   Super Nintendo World 2020
3. USJ character familiarity
   Hello Kitty, Snoopy, Harry Potter

入場者数を増やすために、USJのアトラクションとキャラクターをローカライズする

1. USJの人気
   過去5年間で4%の増加
2. 乗り物とアトラクション
   スーパーニンテンドーワールド2020
3. USJの親しみやすいキャラクター
   ハローキティ、スヌーピー、ハリー・ポッター

TBCクロージング

Localizing USJ Attractions and Characters to Increase Attendance

1. Popularity of USJ
2. Rides and attractions
3. USJ character familiarity

Can growth be sustained?
Is further localization possible?
Is a USJ in Tokyo viable?

入場者数を増やすために、USJのアトラクションとキャラクターをローカライズする

1. USJの人気
2. 乗り物とアトラクション
3. USJの親しみやすいキャラクター

増加を持続できるか？
もっとローカライズできるか？
「東京USJ」は実現できるか？

「比較（1)」のTBCクロージングでは、指摘された問題と今後の検討課題は個々の主要ポイントとそれぞれ関連しているため、それぞれの主要ポイントの下に配置しました。一方で「比較（2)」のTBCクロージングでは、追加された質問とさらなる研究分野はそれぞれの主要ポイントとは直接結びつかないため、スライドの下部にまとめて配置しています。

TBC クロージングを簡単な英語で！

TBC クロージングで使う英語表現はハッピーエンド・クロージングとほとんど同じですが、ステップ 3 の部分が大きく異なります。TBC クロージングのステップ 3 では、問題点やさらなる検討課題を強調する必要があります。

	ハッピーエンド・クロージング	TBCクロージング
1	クロージングへ移行	クロージングへ移行
2	プロットをくり返す	プロットをくり返す
3	要約する	問題点や検討課題を提示する
4	聞き手に感謝し、質疑応答へ移行	聞き手に感謝し、質疑応答へ移行

ここでいったん立ち止まって、あなたが過去に行った、あるいは将来行う予定のあるプレゼンの TBC クロージングを作成してみましょう。

リスニング シンプルな英語で締めるには？ ③

1	クロージングへ移行	In conclusion,...
2	プロットをくり返す	Today's topic was Using Death Star Technology to Crush the Rebellion.
3	問題点と今後の検討課題を提示する	Here are some final thoughts and areas for further study: First, regarding Death Star Technology, can laser technology achieve similar results as DST? Second, regarding The Superiority of DST, the influence of gravity on DST needs more study. Third, regarding Protecting the Death Star, are there new areas of vulnerability?
4	聞き手に感謝し、質疑応答へ移行	Thank you for your attention. Are there any questions?

最後に……。
今日のトピックは、デス・スターの技術を使って反乱軍を滅ぼすことでした。
ここでは、最終的な結論とさらなる検討領域を提示します。
まず、デス・スターの技術に関して、レーザー技術はデス・スターの技術と同様の結果を達成できるか？
2番目に、デス・スターの技術の優位性に関して、デス・スターの技術に対する重力の影響についてはさらなる研究が必要です。
3番目に、デス・スターの防衛に関して、脆弱な領域で新しいものはあるか？
ご清聴ありがとうございました。何かご質問はありますか？

リスニング　シンプルな英語で締めるには？ ④

1	クロージングへ移行する	In conclusion,...
2	プロットをくり返す	Today, I talked about: Localizing USJ attractions and characters to increase attendance.
3	問題点と今後の検討課題を提示する	Here are some final thoughts and areas for further study: Can growth be sustained? Is further localization possible? Is a USJ in Tokyo viable?
4	聞き手に感謝し、質疑応答を促す	Thank you! Questions please!

最後に……。
今日は入場者数を増やすためにUSJアトラクションとキャラクターをローカライズすることについて話しました。
ここでは、最終的な結論とさらなる検討課題の領域を提示します。
（入場者数の）増加は持続可能か？
もっとローカライズできるか？
「東京USJ」は実現できるか？
ありがとうございました！　ご質問をお願いします！

課題 TBCクロージングを自作してみよう！

ここでいったん立ち止まって、あなたが過去に行った、あるいは将来行う予定のあるプレゼンのTBCクロージングを作成してみましょう。

1	クロージングへ移行する	In conclusion,...
2	プロットをくり返す	
3	問題点や検討課題を提示する	
4	聞き手に感謝し、質疑応答を促す	

❗ サンキュー・スライドはノー・サンキュー！

私のプレゼン講義でも多くの受講生が要約スライドに**Thank you**（ありがとう）と書いて締めようとしますが、このやり方はおすすめしません。なぜか？　やはり最後は個人的なメッセージで力強く締めたいからです。単に**Thank you**（ありがとう）とだけスライドに載せてしまうと、いかにも事務的・機械的で温もりが伝わりません。それではまるでただ「ありがとう」と言っている機械のようです。聞き手に感謝しているのは誰でしょうか？　あなたですか、それともあなたのコンピュータですか？　クロージングは個人的なものでなければなりません。聞き手と目を合わせ、アイ・コンタクトを取りながら感謝の意を示してください。

第5部のまとめ

プレゼンの行き先を決めましょう。あなたが目指すのは、内容に沿った想定内の結論と質疑応答ですか、あるいは制限なく開かれた幅広いディスカッションですか？	□ (p.81)
ハッピーエンド・クロージングを使って、今回のプレゼンの範囲内に質疑応答を集中させます。	□ (p.81)
TBC クロージングを使って、トピックに関するディスカッションと、ブレーンストーミングの機会を設けます。	□ (p.82)
次の 4 つのステップに従い、シンプルな英語で話しましょう。 **1.** クロージングへ移行する **2.** プロットをくり返す **3.** 要約する／問題点や検討課題を提示する **4.** 聞き手に感謝し、質疑応答へ移行する	□ (p.86、95)
英語で話すときの手助けとして、今日のプロット、主要ポイント、具体的な数値や具体例を盛り込んだ注目ポイントをまとめた要約スライド、あるいは、問題点や今後の検討課題を表示したスライドを作成します。スライドを見せながら聞き手をガイドしましょう。	□ (p.88、95)

※わからない人はここに書いたページを再確認してみましょう。

Column

成功するための4つのステップ

私のビジネスクラスでは、ストーリー・メッセージにおける５部構成の応用方法についても言及しています。私はそれを「成功への４つのステップ」と呼んでいます。この４ステップは、友人や同僚、家族間など人生のあらゆる対人コミュニケーションを取るときに応用することができます。

❶ 興味を持ってもらう

会議やディスカッション、交渉、あるいは一対一の場において、まずは聞き手の注意や興味を引くようにしてください。

❷ 理解してもらう

必ず数値と具体例を挙げながら説明して掘り下げてください。そうしないと、あなたの説明はあいまいでハッキリしない退屈するものになってしまいます。

❸ 同意してもらう

競合相手や従来の技術と比較することで自身の強味を印象づけ、今までの説明により積極的な意味づけを与えましょう。

❹ 弱点をフォローする

相手は何を不安に思い、心配しているかを理解しましょう。自ら弱点を明かし、フォローすることで相手のもつ懸念を払拭し、信頼を得てください。

これらのステップを練習すれば、どんな相手とのコミュニケーションでももっと上手くいきます！

The Visual

第2章

ビジュアル・メッセージ

第２章でわかるプレゼンのノウハウ

・ビジュアルの基本３原則

・ビジュアルをデザインする方法
→テキスト、グラフィック、レイアウト

・ビジュアルを説明する方法
→ IEIT テクニック

Message

One picture is worth a thousand words.

一枚の絵は千の言葉に値する。

── Frederick R. Barnard　フレデリック・バーナード ──

One slide saves a thousand words.

一枚のスライドは千の言葉を救う。

── Power Presentation　パワー・プレゼンテーション ──

ビジュアル・メッセージとは？

まずはこの章を、ビジュアル・メッセージに関する簡単なクイズから始めましょう。○か×かでお答えください。

1	ビジュアル・メッセージは、プレゼンのペースを速めることができます。	○	×
2	ビジュアル・メッセージを使うことで、緊張を緩和し、より自信にあふれたプレゼンを行うことができます。	○	×
3	ビジュアル・メッセージを使うことで、プレゼンをよりダイナミックにすることができます。	○	×
4	非ネイティブのプレゼンターの場合、ビジュアル・メッセージは言葉によるヴァーバル・メッセージよりも重要です。	○	×
5	言葉よりも視覚的なコミュニケーションのほうが簡単です。	○	×
6	言葉で聞いたものよりも、視覚的に見たもののほうが、より記憶に残りやすいのです。	○	×

これらすべての質問に「○」と答えたあなたは、ビジュアル・メッセージの価値を理解するための準備が整っています。これらの質問のどれかに、

「×」と答えたあなたには、良い知らせがあります。ビジュアル・メッセージは、今現在あなたが考えているよりもずっと強力だということです。それでは詳細を見ていきましょう。

視覚的なプレゼンこそが国際社会で必要

経験談をお話しすると、1980年代半ばに「東芝アドバンスド・プレゼンテーションコース」を教えたときのことをよく覚えています。そのときはインストラクターである私と受講者を含めて8～12人で、受講者は30代と40代の日本人男性が中心でした。数年前に、やはりプレゼンテーションのコースを受け持ちましたが、40年前とはいろいろな意味で対照的で隔世の感を覚えました（私はまだそこで教えていました。ただし30代より髪の量は少なくなっていました）。受講者の層が様変わりしていたのです。以前のようにクラス全員が日本人男性ではなく、日本人は2人だけだったと思います。そのうちの一人か両方が女性でした。残りは東芝のグローバルな新入社員、シンガポール・中国・タイ・マレーシア・ベトナム・インド・パキスタン出身の20代後半～30代の若い男女、そしてヨーロッパから来た数名でした。クラスの名称も現在の名称である「グローバルプレゼンスキル」に変わっていました。

これらの多くの変遷は、職場の変化、つまりグローバルな労働力の進出を反映しています。1980年代のプレゼンテーションの聞き手はほぼ同質の文化や背景をもつ人々で構成されていました。例えばIntelのアメリカ人プレゼンターの人種構成が東京・浜松町の東芝で日本人エンジニアに対してプレゼンを行ったときや、あるいは東芝出身の日本人プレゼンターがシアトルのマイクロソフトでアメリカの聴衆に対して発表したときなどがそうでした。

しかし今日、特にアジアや国際会議では、聴衆はさまざまな「英語」の特徴を持つ英語話者で構成されている可能性があります。ベトナム語の英語は日本人の話す英語とはまったく異なります。そのどちらも中国語英語とは音が異なります。大学の英語授業では、TOEICスコアがほぼ同じベトナム人、中国人、日本人の受講者の間でも「英語」の特徴がちがうため、お互いを理解するのに苦労することがあります。個人的には長年日本に住んで教えてきたので、日本人の話す英語はわかりやすいと思いますが、シンガポール人の英語、いわゆる「シングリッシュ」は難しいと思います。しかし、それらの地域性も含めてすべて「英語」なのです！

国際会議の聴衆には、英語話者、ベトナム人、タイ人、中国人、日本人、韓国人など多種多様な話者が含まれる場合があります。さらに、スコットランド、オーストラリア、インドなどさまざまな英語のネイティブ・スピーカー。ウィンストンチャーチルの言葉を借りれば、私たちは多くの国で **separated by a common language.**（共通の言語によって隔てられている）といったところでしょうか。私たちはみな上手に英語を話しているつもりかもしれませんが、実はみな異なるブランドの英語を話しているのです。

では、こういった事情がプレゼンとどう関係してくるのでしょうか。要するに「英語という言葉によるメッセージなんて、コンテンツの主要な伝達手段としてはそれほど信じられない」ということです。私たちの英語は、聴衆が慣れている英語とはちがって聞こえるかもしれません。したがって、多様な英語が話されるグローバルな職場では、コンテンツの主要な伝達手段として、ビジュアル・メッセージにますます依存する必要性が出てきます。

例えば$10,000（一万ドル）は、さまざまな発音で話されるため、音声情報だけでは聞き取りにくい場合があります。スライドで視覚的に見せたほうが、誰でも簡単に認識して理解できるでしょう。別の例としては、現象の分布に関して口頭で説明しても、一部の聞き手には理解しがたいことでしょう。しかし散布図を表示すれば、エンジニアなら誰でも理解することができるはずです。このようにグローバルな環境では、言葉だけでなく、視覚的なコミュニケーションも駆使する必要があります。

日本人が直面する4つの課題とは?

ビジュアル・メッセージについて詳しく説明する前に、多くの日本人プレゼンターが直面する4つの課題について、具体的に見てみましょう。

課題 1　ペース配分をどうするか?!

パソコンについて考えてみてください。十分な入力がしばらくないと、どうなりますか？　スリープモードに入りますよね。同様に人間のCPU（脳）が十分な入力を受け取らない場合もスリープモードになります。スピーカーのペースが遅過ぎて眠くなったプレゼンに参加したことがありますか？　私は何度もそうした経験をしました。特に昼食後！

聴衆の目を覚まし、集中してもらうには、安定したペースでの情報提供が必要です。しかし、多くの日本人プレゼンター、特にエンジニアは英語を話す経験があまりなく、口頭でのメッセージのペースは遅い傾向にあります。

そこで視覚的なメッセージに頼る割合を多くし、言葉によるメッセージに頼る割合を減らせば、情報のペースを大幅に上げることができます。1つの画像または1つの優れた画像は1000の言葉にも値することを覚えておいてください。1つの優れた画像で1000ワードを節約できるとされています。正しい画像はあなたが口頭で話さなければならない量を削減します。このセクションでは、あなたに代わって画像に語らせる方法を紹介します。

課題 2　話の流れをどうするか？

優れたプレゼンには「注目ポイント」（焦点、フォーカスポイント）、要は発表者が聴衆に集中して覚えてもらいたいキーワードまたはキー番号があります。ネイティブ・スピーカーのプレゼンターは、ストレスとイントネーションを使用してこれらの注目ポイントを強調します。しかし、残念ながら、私の経験では、ストレスとイントネーションは、多くの日本人プレゼンターが習得に苦労している高レベルの英語スキルです。

ここでも、ビジュアル・メッセージが役立ちます。プレゼンの焦点を強調するために適切に言葉を使ったメッセージを伝えることはできないかもしれませんが、視覚的なメッセージを使用することはできます。スライド上の色、サイズ、位置を使用して、注目ポイントを強調します。これは、口頭のメッセージでは説明する部分が不足してしまうのを補う以上のものです。このセクションでは、ビジュアル・メッセージを使用して注目ポイントを強調する方法を示します。

課題 3 詳細な情報をどうやって伝えるか?

ストーリー・メッセージの第2部（p.57）で述べたように、詳細な情報は貴重です。しかし、くり返しになりますが、英語で詳細を正確に伝えるのは、言うまでもなく高度な言語スキルです。しかし、優れたビジュアルは、あなたが口で言う代わりに、詳細を正確に示してくれます。簡単な例を挙げましょう。まず、ビジュアル･メッセージによるサポートがない、言葉だけによるメッセージの場合です。

The jar is grasped firmly in the left hand while the right hand simultaneously turns the lid in a clockwise motion.

左手で瓶をしっかりと握り、同時に右手で蓋を時計回りに回します

まさに詳細を正確に伝える英語です。しかし、多くの日本人にとっては難しい英語を使って伝えなければなりません。では、同じことをビジュアル･メッセージによって表現してみましょう。話す必要がある英語はほんの数語です。

Turn it like this.（このように回してください）。またはもっと簡単に、**Do this.**（こうしてください）とでも言えば十分です。

わかりやすいビジュアルをポンと一枚出したほうが、下手に英語で説明するよりもより的確かつシンプルで使いやすいことがわかります。

課題 4 内気さをどうやって克服するか?

長年にわたり、多くの日本人プレゼンターが恥ずかしがり屋だと言っているのを聞いてきました。ただし、これは日本のプレゼンターに限った特別なことではないと思います。私を含め他の国籍の多くのプレゼンターは、静かで、

控えめで、内向的な人々です。それにもかかわらず、多くの日本人プレゼンターは恥ずかしがり屋です。ここで良いお知らせがあります。

この本で紹介する「パワープレゼン」流のメソッドでは、あなたではなく、ビジュアル・メッセージこそが主役です。あなたはただ、ビジュアル・メッセージをサポートするだけでいいのです。この考え方を完全に理解して受け入れると、緊張が解け、シャイに構える必要もなくなります。あなたの仕事はビジュアル・メッセージをサポートすることだけ。あなたはビジュアルを使って聞き手を導くのです。抜群のビジュアルを持ったスライド作成に労力のほとんどを注ぎましょう。この章の後半では、これを行う方法について詳細に解説します。しかし、その前にここまでの復習をしましょう。

ここまでのまとめ

簡単なクイズでおさらいしましょう。次の文に同意しますか？

1	英語はグローバルな環境で使える言語ですが、英語のブランド（種類）は実はたくさんあります。	○	×	わからない（→p.103）
2	ビジュアル・メッセージは、言語や文化の壁を越えて伝わる共通言語のようなものです。	○	×	わからない（→p.103）
3	日本のプレゼンターの多くはペース配分、話の伝え方、詳細情報、内気さなどの課題に直面します。	○	×	わからない（→p.104）
4	ビジュアル・メッセージの助けを借りればペースが上がり、注目ポイントが強調され、正確さが増し、恥ずかしくなくなって自信がつきます。	○	×	わからない（→p.104）

ビジュアルの基本3原則とは？

私が日本IBM、キヤノン、日立、ヒューレットパッカード（HP）といった多くの企業で長年行ってきた２日間のプレゼンセミナーの中でも、自分でも最も気に入っているパートの１つを紹介したいと思います。ここではセミナーの雰囲気にできるだけ近くなるよう、講義形式の文章でお伝えします。

チャールズ：次はクイズの時間です！

（ある受講生は笑顔を浮かべ、ある受講生は拍手し、ある受講生はうめき声をあげる）

チャールズ：２つのビジュアルをお見せします。どちらがいいと思うかを教えてください。

スライド１

The Visual Message

Gross Sales

Year 1: $3,410,740	Year 6: $4,402,225
Year 2: $3,676,490	Year 7: $3,703,291
Year 3: $4,247,613	Year 8: $6,212,116
Year 4: $4,750,255	Year 9: $7,864,950
Year 5: $5,227,671	Year 10: $11,328,876

スライド２

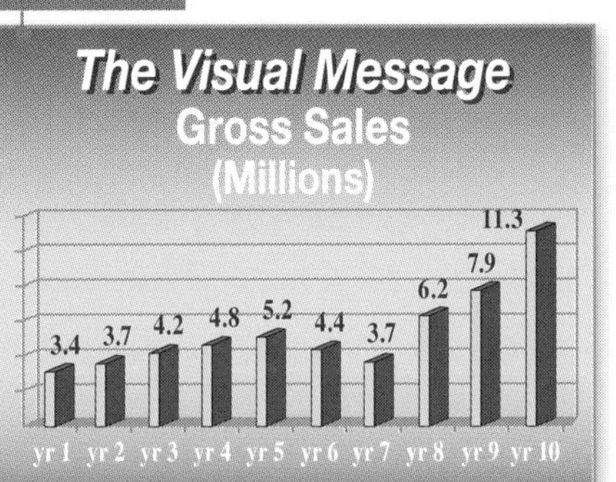

スライド１は、１年目から10年目までの売上を示しています。スライド２も同様に１年目から10年目までの売上を示しています。阿部さん、どちらがいいと思いますか？

阿部さん：２つ目のスライドです。

チャールズ：いい選択です！　しかし、どうして２番目を選んだのですか？

阿部さん：数字の増減がはっきりわかるからです。

チャールズ：そのとおり！　１番目のビジュアルは数値を示していますが、増減の様子までは示せていません。２番目のビジュアルはイメージ（この場合は棒グラフ）を入れて増減を示しています。このように、言葉や数値だけを表示するのではなく、イメージを使ってアイデアを表示することを目指しましょう。つまり効果的でわかりやすいビジュアルを作成するための基本３原則の１つ目は、「**文字だけでなく、イメージで示せ！**」です。言葉だけでなく、具体的なイメージと合わせて伝えるように訓練しましょう。図やグラフ、フローチャート、イラストや写真を駆使してアイデアを伝えましょう。

チャールズ：次は原則２です。スライド３と４という２枚のスライドがあります。伊藤さん、スライド３の10年目の数字を読んでいただけますか？

スライド３

The Visual Message
Gross Sales

Year 1: $3,410,740	Year 6: $4,402,225
Year 2: $3,676,490	Year 7: $3,703,291
Year 3: $4,247,613	Year 8: $6,212,116
Year 4: $4,750,255	Year 9: $7,864,950
Year 5: $5,227,671	Year 10: $11,328,876

スライド４

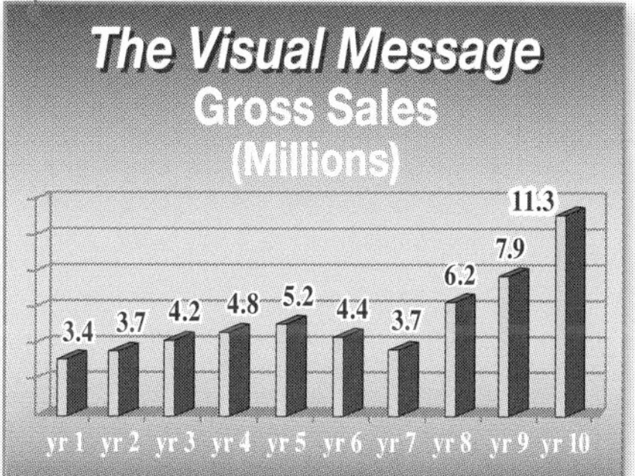

伊藤さん：うーん。ちょっと待ってください。Eleven hundred、いや Eleven thousand……申し訳ありません……。うーんイレブン…、イレブン…、eleven million, three hundred-twenty-eight hundred、いいえ thousand, eight hundred-seventy-six です。

チャールズ：ありがとう！　そして、次のスライド４で10年目の数字を読んでください。

伊藤さん：Eleven point three million（11.3 × 100万）です。

チャールズ：どちらがより簡単でしたか？

伊藤さん：２番目です。

チャールズ：もちろんそうですね。どうしてでしょう？

伊藤さん：シンプルだから？

チャールズ：そのとおりです。最初の数字は11,328,876ドルです。最後の６ドルまで気にする人なんているのでしょうか？　細か過ぎますよね。２番目のスライドは数字をどこまで詳細に示すかに関して適切に調整されています。

２つ目の原則は KISS の法則—Keep the Information Short and Simple（情報は短く、シンプルに）です。つまり、シンプルなスライドこそが、強烈な印象を与える強力なスライドなのです。ですから、あなたが一番伝えたいメッセージにとってあまり重要ではない端数や表現、線や色はすべて削除してしまいましょう。シンプルなスライドのほうが記憶に残ります。

それでは最後の３原則について説明するために、スライド５と６を見ていきましょう。これらのスライドは、X1 バックホウの４つの機能について表示しています。

スライド５

X-1 Back-Hoe

1.The X-1's unique cab design gives driver full unobstructed view for safe and easy operation. Our patented TRIPLE SHIELDTM window glass reduces noise levels in the cab by up to 3 decibels.

2.A large blade capacity of 5.6 m3 improves performance

and promotes fuel economy. The blade is made of super-stainless carbon steel. All exposed edges are triple reinforced to reduce nicking and gouging of edges.

3.The back-hoe is fully hydrostatic and has 180 degrees

of movement and a working angle of 32 degrees. Ditch depths of up to 1 meter can be dug.

4.A high power engine rated at 190 flywheel HP has the power to get any job done in any terrain. Not only is engine powerful but it easily meets all EPA standards for emissions. Rubber mounted power-train units substantially reduce noise and vibration.

スライド６

X-1 Back-Hoe

●Quiet, full view TRIPLESHIELD CABTM

●5.6 m3 blade capacity

●Fully hydrostatic back-hoe

●Quiet, 190 flywheel HP engine

チャールズ：鈴木さん、スライド５と６ではどちらがわかりやすいですか？

鈴木さん：間違いなく、２つ目です。

チャールズ：そうですね！　なぜそう思いますか？

鈴木さん：スライド６のほうがシンプルだからです。

チャールズ：そのとおりです！　スライド５には、私たちには読みづらい長い文章がたくさん書いてあります。それに比べるとスライド６は、ビジュアル基本３原則の３つ目、「5 の法則」(The Rule of Five) を体現しているのです。「5 の法則」とは何か？「1 行あたり５ワード以下、１スライドあたり５行以下でまとめる」というルールです。では特別にボーナス問題です。「5 の法則」によると、スライド１枚当たりの最大単語数はいくつですか？　阿部さん？

阿部さん：ええと ...1 行あたり５ワード x ５行だから……25 ですよね？

チャールズ：正解です！　さぁ追加のボーナス問題です。「イメージで示せ！」、「KISS（Keep the Information Short and Simple ／情報は短く、シンプルに）」、そして「5の法則」。今まで解説してきたこれら基本3原則の中で、最も重要なものはどれでしょうか？　伊藤さん？

伊藤さん：KISS。

伊藤さん：キスが大人気です！　ファイナル・アンサー？

伊藤さん：はい。

チャールズ：わかりました。正解を見てみましょう。伊藤さん、X1 Back-Hoeのことをご存知ですか？

伊藤さん：いいえ。

チャールズ：実は私もよく知りません。謎です。鈴木さん、triple shield cabが何を指すかわかりますか？

鈴木さん：いいえ。

チャールズ：私もです。阿部さん、blade capacityの意味がわかりますか。

阿部さん：いいえ。

チャールズ：私にもわかりません。しかし、次の最後のスライド7を見てください！　X1 Back-Hoeが何なのか、これで一目瞭然です。triple shield cabやblade capacityが何なのかもわかりました。このスライドはイメージですべてを伝えています。「スライド6」のような単なる単語の羅列では、X1 Back-Hoeが何なのか、意味がわかりませんでした。「スライド7」のような画像を伴ってこそ、意味が伝わります。ここで効果的なビジュアルの基本3原則を再び思い出してください。「イメージで示せ！」、KISSの法則、5の法則と見てきましたが、どれが最も重要な法則だと思いますか？

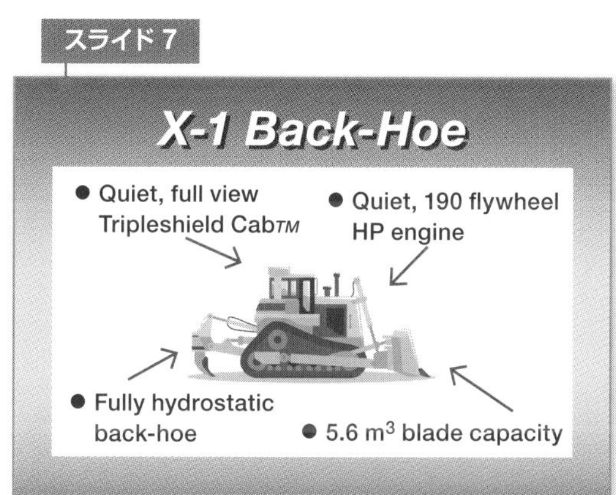

全員：「イメージで示せ！」

ここまでのまとめ

ここまで、ビジュアル・メッセージの解説として「強力なビジュアル・メッセージこそが非ネイティブのプレゼンターにとってのカギである」と主張してきました。ネイティブ・スピーカーではないあなたは、何も無理してネイティブ・スピーカーのように振る舞ってプレゼンをしようとする必要はありません。ネイティブのプレゼンターと上手く対抗するには、別のことをする必要があります。弱点で勝負するのではなく、あなたの長所を活かしましょう。優れたビジュアル・メッセージがあなたに代わって雄弁に語ってくれます。

まとめると、このセクションではビジュアルに関して効果的な基本3原則を紹介しました。

原則 1 文字だけでなく、イメージで示せ！

原則 2 「KISSの法則」（Keep the Information Short and Simple）—情報は短く、シンプルに！

原則 3 「5の法則」（The Rule of Five）を守る

「文字だけでなく、イメージで示せ！」の原則の大切さを伝える例としてデビッド・マキャンドレスのTEDトークをご確認ください。彼は多彩なビジュアル・メッセージを駆使して、複雑なデータについてスピーディかつ明確なメッセージを伝えることに成功しています。

デビッド・マキャンドレス
「データビジュアライゼーションの美」

「KISSの法則」を体現したビジュアルの好例として、デイヴィッド・エプスタインが作成した洗練されたスライドをご覧ください。スライドの背景はすべてシンプルに白で統一。重要なデザイン要素だけが残され、余計な単語や装飾は一切ありません。その結果、観る者に鮮烈な印象を残すビジュアルができあがるのです。

デイヴィッド・エプスタイン
「アスリート達は本当により速く、強くなっているのだろうか?」

次のセクションでは「ビジュアルのデザイン」と「ビジュアルの説明」という2つの重要な領域に焦点を当てます。順に見ていきましょう。

Stage 1 ビジュアルをデザインするには？

ビジュアル・メッセージは次の３つで構成されます。

1 テキスト —— 私たちが読む言葉

2 グラフィック—— 私たちが目にするイメージ

3 レイアウト——テキストとグラフィックの関係性

1 テキスト —— 私たちが読む言葉

まずは何よりもフォントです。とにかく多くの異なるフォントが必要です。どんなフォントを選ぶべきでしょうか？　フォントによってそんなに印象がちがいますか？　もちろんちがいます。しかしなぜでしょう？　確認しましょう。欧文フォントには基本的に２種類あります。Serif（セリフ）と Sans Serif（サンセリフ）です。Serif とはどんな書体でしょうか？　下記の例（左がセリフ、右がサンセリフ*）を見てください。どちらが読みやすいですか？

Power Presentation	Power Presentation

太さも一定でシンプルで見やすいので、右のほうが読みやすいですよね。原則２の KISS（Keep the Information Short and Simple ／情報は短く、シンプルに）を思い出してください。左側のフォントには気が散る飾り要素があって読みにくくなっています。これらの小さな飾り要素は serif（セリフ）と呼ばれ、p、r、n の下部にある小さな「足」、s と a につく「尾」、p、w、および n の上部につく「尾」など、文字の線の端のひげ飾りのことを指します。こうした文字飾りが重なると、１つの単語がくっついて読みづらくなります。

セリフを持った書体は、大きなテキストボックスに流し込むことを意図して作られた格調の高さや見た目の美しさを優先したフォントで、新聞などによく使われます。しかしプレゼンで新聞のような文字量を表示することはま

*訳注:日本語の明朝体・ローマン体と、ゴシック体のようなものです。

ずありません。プレゼンに必要なのは 1 つの単語と短いフレーズだけです。よってプレゼン用の書体としてはサンセリフの書体（ゴシック体）を使用する必要があります（ところで sans はフランス語で「なし」を意味します。よって Sans Serif は「セリフなし」を意味します）。

以下のフォント名を見比べてください。どれがセリフで、どれがサンセリフ（ゴシック体）かを確認してください。

Font Name	セリフ	サンセリフ	わからない
Times New Roman	○	×	わからない
Courier	○	×	わからない
Rockwell	○	×	わからない
Arial	○	×	わからない
Tahoma	○	×	わからない
Gill Sans	○	×	わからない
Avenir	○	×	わからない

ご覧のとおり、上の 3 つはすべてセリフフォントです（ひげ飾りがついていますよね）。これらを使うのを避けてください。下の 4 つはサンセリフで、シンプルかつエレガントで力強いプレゼン用のフォントです。こういった書体を使ってください。プレゼンにふさわしい書体がわかったところで、スライドでテキストを効果的に使用する方法について説明しましょう。

▶フォントサイズによる階層性

以下の 2 つのスライドをどちらがわかりやすいか見比べてください。

例 1

Donald's Restaurant
Burgers:
- Hamburgers
- Cheeseburgers
- Double Cheeseburgers
- Bacon Burgers
- Veggie Burgers

例 2

Donald's Restaurant
Burgers:
- Hamburgers
- Cheeseburgers
- Double Cheeseburgers
- Bacon Burgers
- Veggie Burgers

例3

Donald's Restaurant
Burgers:
- Hamburgers
- Cheeseburgers
- Double Cheeseburgers
- Bacon Burgers
- Veggie Burgers

例2のほうが一目で理解しやすかったはずです。例1ではすべての単語が同じ大きさのため、メッセージの階層性を読み取ることができません。しかし、タイトル（Donald's Restaurant）、サブタイトル（Burgers）、詳細（ハンバーガーの種類）の3つは本来は異なる階層として表示されるべきです。

これらの階層のちがいを区別するために、色を変えてみましょう（例3）。色が3つの階層をはっきりと分けていることに注目してください。タイトルは赤系、サブタイトルは黒にし、詳細は濃い灰色にすることで黒のサブタイトルと微妙に変えて区別しています。

私の経験上、スライドをシンプルに整理するためにタイトル（title）、サブタイトル（subtitle）、詳細（details）という3層のテキスト階層を覚えておくことをお勧めします。

Title
Subtitle
Details

タイトル、サブタイトル、および詳細に使用するフォントサイズについても受講生からよく尋ねられます。フォントサイズはプレゼンを行う会場の広さによっても事情が異なるため、正直言って正確に答えるのが難しい質問です。一般的には会場が広ければ広いほど、フォントサイズを大きく、スライドをシンプルにする必要があります。

ここまでプレゼンで使用すべきテキストの書体（サンセリフ）と、フォントサイズを変えることで異なる意味レベル（フォントサイズの階層性）を示す方法を説明してきました。次はグラフィック要素について解説します。

2 グラフィック —— 私たちが目にするイメージ

前ページのマクドナルド・レストランのスライドをもう一度見てみましょう。テキストは読みやすいです。しかし、このスライドではあまり食欲をそそられません。右側に無駄な空白が空いています。明らかに左側のテキストを補足し、サポートするために右側にイメージを入れる必要があります。

うわー！　何というちがいでしょう！　ハンバーガーのイメージがテキストの右側をしっかりと補足し、支えています。これでタイトル、サブテキスト、詳細、補足画像で構成されるシンプルでエレガント、バランスの取れたビジュアルが完成しました。

時々、生徒が次のようなスライドを作成するのを見かけることがあります。

何と言うか、良い点は、受講生が効果的なビジュアルのための原則１（文字だけでなく、イメージを示せ！）に従おうと努力している点です。各ハンバーガーの画像が表示されています。悪い点は、ハンバーガーが重力に逆らって魔法のように宙に浮かんでしまっているような印象を受ける点です（マクドナルドの５つの浮遊バーガー！）。あるいはハンバーガーが白い空間の海にプカプカ浮いているように感じます。いずれせよ不自然ですから、何とかして画像の浮遊感をなくし、地に足をつける必要があります。それは別のグラフィック要素と組み合わせることで可能になります（右上図）。

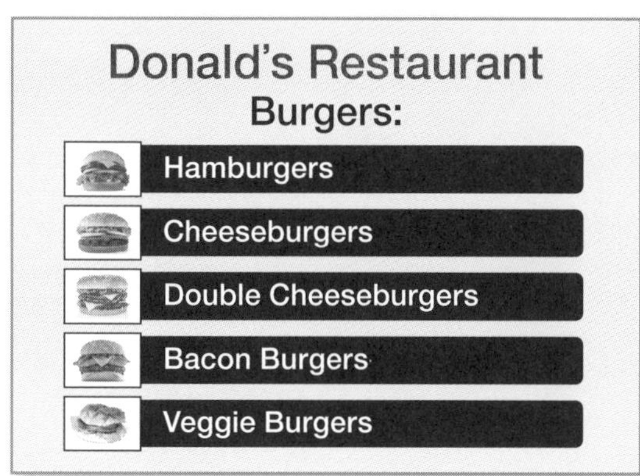

どうでしょう。このように変えればハンバーガーは黒いバー（テキストを含むグラフィック要素）の左端についたビュレット（箇条書きを示す点）やアイコンとして機能します。これでテキストとグラフィック要素（画像や図形）との間に、シンプルでバランスの取れた構成を実現することができました。

多くのスライドで、画像、図形、テキストを駆使したこの手法が使えます。特筆すべきは「概要を示すスライド」に使う場合です。今から例をいくつか示します。

▶ビジュアル・デザインの事例

ストーリー・メッセージの章（p.42）で登場したこの概要スライドを覚えていますか？ 1980年代半ばに東芝で、私はコンピュータ部門の受講者がラップトップパソコンについてプレゼンをするのを見る機会に恵まれたと話しました。当時デスクトップコンピュータでさえ新しかった時代に、ラップトップパソコンというのはまったく画期的なアイデアでした。 Dynabookの初期のプレゼンの概要の例を以下に示します。

Overview

1. Introducing Dynabook
2. Making Computing Portable
3. Using the Power Saving Mode

概要
1. Dynabookの紹介
2. コンピューティングを持ち運び可能に
3. バッテリー節約モードの使用

Overview:

1. Introducing Dynabook

2. Making Computing Portable

3. Using the Power Saving Mode

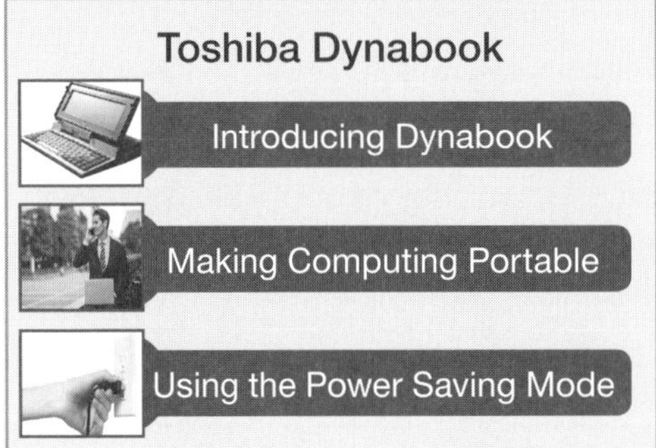

文字だけのスライドでは、退屈で想像力をかき立てられません。それでは聴衆の興味も失せていまいます。単なる言葉の羅列は、スライドの空白の海へと沈んでしまいます。列挙した主要ポイント自体は興味深いかもしれませんが、スライド自体が視覚的に私たちの注意を引くことはなかなかありません。ちょっとした図形を追加するだけで、簡単に改善できる方法を次に示します。

2番目のほうが視覚的にはるかに魅力的で、しかも作成も簡単です。1番目の図はタイトルであるOverview（概要）が中央ぞろえではなく、左端から始まっていることにも注意してください。タイトルの中央ぞろえは、PowerPointとKeynoteのデフォルト設定です。中央ぞろえを使うと「無難で一般的で、意外性なし」といった印象になります。

さらに一歩進んでシンプルな画像を追加して、アイコンのように機能させることもできます（2番目の図）。

別の手法としては、左のように主要ポイントを横一列に並置する方法もあります。この手法も視覚的に大変効果的で、実行するのも簡単です。Overviewをより具体的でキャッチーなタイトル「The World's First Laptop Computer」（世界初のラップトップコンピュータ）に変え

たことにも注目してください。また黒の背景を敷いて、使用しているテキストやグラフィック要素とのコントラストを強くしている点もポイントです。

次は私のお気に入りのテクニックです（下図）。円形に画像をはめ込み、円の下に影をつけ、円の下部に「主要ポイント」を並べます。このテクニックも実にエレガントで簡単にできます。

これまでスライドに配置するもの、つまりテキストとグラフィック要素について見てきました。次に、それらをスライドにどのように配置するのが最適かを考える必要があります。

3 レイアウト —— テキストとグラフィックの関係性

私が教える受講生がよく直面する問題の１つは「スライドが魅力的なビジュアルになるように、どうやって情報を配置するか」です。受講生の多くはスライドに情報をランダムに配置してしまいます。そんなときは、まず頭の中でスライドを幾何学的に分割してレイアウトを考えてから、次にテキストとグラフィック要素を並べるように指導しています。

最もシンプルなのは、次のページのスライドのように「シンプルな長方形」のボックス領域に、ポンとイメージを置いただけのレイアウトです。

シンプル・イズ・ザ・ベストであるがゆえにパワフルでどこが焦点かも明確です。インパクトを与えたいときにこのレイアウトを使うとよいでしょう。背景に白や黒を敷くことでコントラストを強め、画像の明るい色をいっそう引き立てることができます。

例 2

1

2 3

MOTORCYCLE MADNESS

- Elegance
- Technology
- Style
- Freedom

この例では、スライドを３分割しています。

この３分割のレイアウトは、タイトル、テキスト、画像の３つを組み合わせるのに適した方法です。バイクの下に影をつけることで、バイクが宙に浮いたような感じが出るのを防いでいる点にも注意してください。

例 3

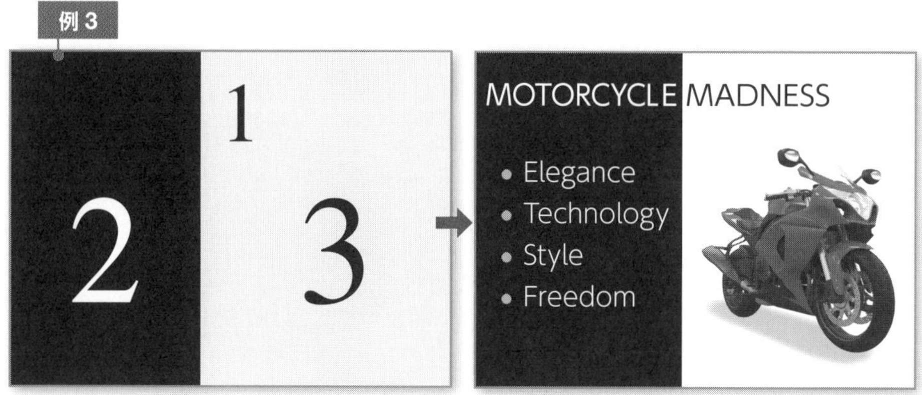

これはいわゆる「リバースアウト」と呼ばれる手法です。白い背景に暗い文字ではなく、黒い背景に白い文字を配置（白抜き）しています。このデザインを使うと、テキスト、背景、画像のコントラストを高めることができます。

例 4

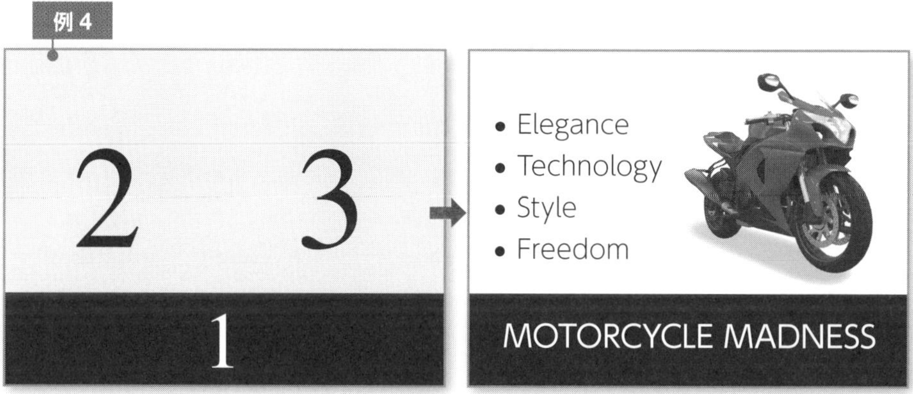

これは上記の「リバースアウト」のバリエーションです。この場合、タイトルを白抜きにして最下段に配置します。 最下部に黒いバーを配置することで、上の画像とテキストにどっしりとした安定感を与えている点に注目してください。

この例 5 では、3 つの画像を配置しています。白い枠線が画像を分割している点に注目してください（左の図）。白い枠線がないと、画像がくっついてしまい、それぞれの画像の切れ目を判断することは困難になります（上の×の図参照）。

この例 6 では、スライドを 4 分割しました。よりダイナミックな印象にするため、あえてスライドを同じサイズに分けませんでした。 同じサイズに 4 等分してしまうと、スライドは静的で退屈な感じになってしまいます。この場合、写真が入る正方形のスペースのほうが重要なので正方形が大きくなります。ただし、次ページの左上の図のようにすると白のボックス領域に入るテキストが浮いてしまうので、その右の図のようにテキストを色付きのボックスに入れました。

これでテキストは単独で空間を漂うのではなく、画像に固定されて結びついているように感じられます。

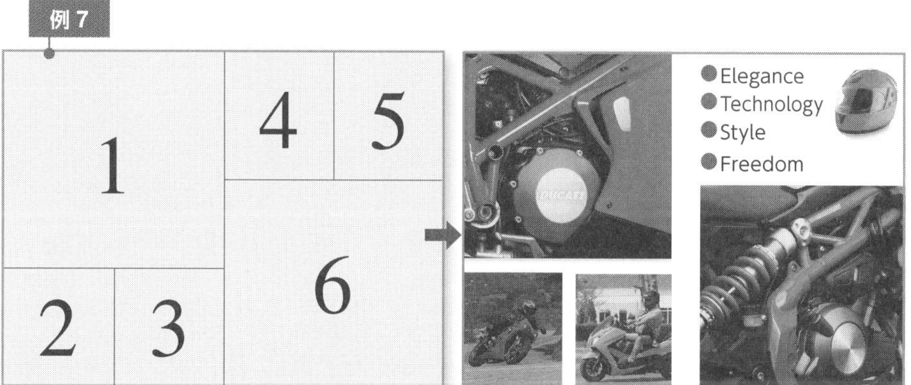

例 7 では、スライドを複数の正方形を使って分割することで、アイデアに複数の側面があることを表現しています。

ここまでのまとめ

スライドの分割やレイアウトには、他にも興味深く創造的な方法がたくさんあります。ここではそのほんの一例を示しました。その他の例については **Google Slides**（https://docs.google.com/presentation/u/0/）にアクセスすることを強くおすすめします。

このサイトには優れたプレゼン用のスライドのレイアウトサンプルがいくつも用意されており、スライドを分割するためのシンプルでクリエイティブな方法を知ることができます。

Making Presentations That Stick と **Join Us for a Full Weekend of Activities on Google Slides** という名前のレイアウトサンプルが特におすすめです。

次のページからはケース・スタディ（事例研究）です。具体的なケース・スタディを通して、ストーリー・メッセージとビジュアル・メッセージについてこれまでに学んだことをすべて組み合わせ、実践していきましょう。

Column

「私はデザイナーじゃないんだけれど！」

まれに偏見を持ったまま私のプレゼンコースに参加する受講生がいます。彼らは「芸術的な才能がないから、PowerPoint なんて使いこなせない」と思い込んでいて、効果的なスライドなんて作成できないとあきらめてしまっています。最も重要なことは、「魅力的なスライドを作成するのに、特別に訓練されたアーティストやデザイナーになる才能なんて必要ない」ということです。今まで例として挙げてきたビジュアルはすべて PowerPoint、Keynote、Google 画像などを主に使用しています。洗練されていて高価な Photoshop や Illustrator を購入して凝りに凝ったビジュアルを作成する必要は必ずしもありません（もちろん、Photoshop と Illustrator を使うと可能性は広がります）。効果的なビジュアルを作成するために必要なものは、iPhone カメラ、PowerPoint・Keynote・Google Slides のどれか、および Google 画像（画像を使用する際は著作権には十分お気をつけください）。

ケース・スタディ ケンジのデザインを見てみよう!

私が教えるプレゼン講座ではストーリー・メッセージの章を終了してビジュアル・メッセージの章を開始するときに、ロールプレイを行う場合があります。ロールプレイでは受講生が起業家役となり、投資家役の私から資金を調達するため、製品やサービスのアイデアをプレゼンします。

受講者はプレゼンを2回行います。1回目のプレゼンではストーリー・メッセージの内容は良くてもビジュアル・メッセージは今ひとつという場合がほとんどです。私は受講生にいくつかフィードバック(意見、評価)を与え、それから数週間後に彼らは改善したプレゼンを行います。トピックについては多種多様なアイデアが出てきます。「ドラえもんのポケット」のように奇想天外で奇抜なものもありますが、下記のように興味深いアイデアもあります。

次のプレゼンは「ケンジ」(仮名)と呼ばれる受講生によって行われました。ケンジは優秀な受講生で、彼が行った最初のプレゼンのストーリー・メッセージはかなり良かったのですが、ビジュアル・メッセージは今ひとつでした。

このケース・スタディでやりがいをもってもらい臨場感のあるものにするために、あなたが講師役だとしましょう。ケンジの最初のプレゼンから下の各スライドを見て、ストーリー・メッセージとビジュアル・メッセージに関するフィードバックを考えてみてください。

恐らくストーリー・メッセージに関するフィードバックは肯定的なものになるでしょう。良かった点を見つけ出してください(以下にヒントを示します)。ビジュアル・メッセージに関するフィードバックとしては、ケンジが次のプレゼンまでに改善する必要がある点を指摘してください(こちらも以下にヒントを示します)。

今回、あなたは先生です!　ケンジに何が上手だったか、どこを改善する必要があるかアドバイスをしてあげてください。ヒントを参考にしながら、彼のプレゼンを批評していきましょう。

第 1 部「オープニング」のケース・スタディ

オープニングである第 1 部の目的は「聞き手の興味を引くこと」であったことを思い出してください（p.27）。タイトル、フック、概要を示して興味を引きましょう。ケンジがそれを行ったかどうかをチェックしてください。

Ordering from InstaEats Delivery to Promote Health and Convenience

Kenji Abe

フィードバックのためのヒント

ストーリー・メッセージ

- ケンジはプロット作成の構文（手段 to 目的／→ p.24）を使っていますか？
- InstaEats のメリットは何ですか？

ビジュアル・メッセージ

- プロットは読みやすいですか？
- セリフまたはサンセリフのフォントが使われていますか？
- スライドは興味深いですか？　ケンジはどうすればもっと面白くすることができますか？

フィードバックのためのヒント

ストーリー・メッセージ

- ケンジのプレゼンには「フック」がありますか？
- ケンジは名言の引用、統計データ、質問あるいはショート・ストーリーをフックに使いましたか？

ビジュアル・メッセージ

- フックは効果的ですか？　なぜ効果的なのでしょうか？　もしくはなぜ効果的でないのでしょうか？
- スライドの「60%」は何を意味しますか？　何の 60%ですか？

60%

Overview

- 1. What is InstaEats?
- 2. What is our edge?
- 3. Why are we the best value?

フィードバックのためのヒント

ストーリー・メッセージ

- ケンジのプレゼンには「概要」がありますか？
- ケンジの「主要ポイント」は興味深いですか？
- 「主要ポイント」を面白くするためにどんなテクニックが使われていますか？

ビジュアル・メッセージ

- スライドは興味深いですか？ どうすればもっと興味深くできますか？

第2部「理解してもらう」のケース・スタディ

第２部の目的は「聞き手に理解してもらうこと」でした。 そのためにはケンジは InstaEats とは何か、それがどのように機能し、なぜ InstaEats に投資する価値があるのかを伝えなくてはなりません。

フィードバックのためのヒント

ストーリー・メッセージ

- 右のスライドから、InstaEats の概要を理解できましたか？
- 具体的ですか？ InstaEats が提供する食事の種類がわかりましたか？

ビジュアル・メッセージ

- スライドは興味深いですか？ どうすればもっと面白くすることができますか？
- スライドはさまざまな料理について文字で説明しているだけですか、それともさまざまな料理をビジュアルで示していますか？

1.1 What is InstaEats?

Healthy Menu Provider

Vegetarian Meals	Low Carbohydrate Meals (Low Fat)	High Protein Meals
Pasta Meals (5)	Salmon Meals (3)	Beef Meals (3)
Tofu Meals (3)	Mackerel Meals (2)	Pork Meals (3)
Cooked Vegetable Meals (3)	Chicken Breast Meals (3)	Mutton/Lamb (2)

1.2 What is InstaEats?

1. Order
2. Deliver
3. Microwave
4. Enjoy
5. Recycle

フィードバックのためのヒント

ストーリー・メッセージ

- 左のスライドから、InstaEats がどのように機能するか、一般的に理解できますか？

ビジュアル・メッセージ

- スライドは興味深いですか？ どうすればもっと面白くすることができますか？
- このスライドは、サービスの流れをただ文字で示しているだけですか、それともサービスの流れビジュアルで示していますか？

フィードバックのためのヒント

ストーリー・メッセージ

- 右のスライドから、成長の可能性を感じましたか？
- InstaEats が優れた投資先である理由が理解できましたか？

ビジュアル・メッセージ

- スライドは興味深いですか？ どうすればもっと面白くすることができますか？
- スライドは文字で語るだけですか、それともビジュアルで示していますか？

1.3 What is InstaEats?

- Opportunity for growth
- McKinsey & Company project an annual growth rate of 14.9%
- Online food ordering will overtake offline ordering

第3部「同意してもらう」のケース・スタディ

第3部では、ケンジは InstaEats にとっての競合相手を紹介する必要があります。彼は InstaEats が競合とわたりあえることを伝えなければなりません。 ケンジがどのようにやっているか見てみましょう。

2.1 What is our edge?

	Organic	Vegetarian	Low Carb	High Protein
InstaEats	100%	◎	◎	◎
UEats	50-60%	○	X	△
TastyBento	40-60%	X	X	△
Mina Obento	30-50%	X	X	X

フィードバックのためのヒント

ストーリー・メッセージ

- 左のスライドから、競合他社がどこかわかりましたか？
- InstaEats の長所について理解できましたか？

ビジュアル・メッセージ

- スライドは興味深いですか？ どうすればもっと面白くすることができますか？

第 4 部 「弱点をフォローする」のケース・スタディ

第 4 部ではケンジは InstaEats の弱点を明かし、それにどう対処するかをフォローしなければなりません。ケンジがどうしたかを見てみましょう。

フィードバックのためのヒント

ストーリー・メッセージ

- 右のスライドから、弱点を推測できますか？
- 解決策は何かわかりましたか？

ビジュアル・メッセージ

- このスライドで 20%オフになる方法がわかりましたか？
- このスライドで monthly subscription service（月額のサブスクリプション・サービス）が何かわかりましたか？
- スライドにリンゴがあるのはなぜですか？

3.1 Why we are the best value?

Monthly Subscription Service

Sunday	Monday	Tuesday	Wednesday	Thursday	Friday	Saturday
1	2	3		5	6	7
8	9	1		2	13	14
15	16	17		19	20	21
22	23	24	25	26	27	28
29	30	31				

Reduces price by: 20%

第5部 クロージングのケース・スタディ

最後に第5部では、ケンジはプレゼンを締め、それまで述べてきたことを結びつけてまとめなければなりません。ハッピーエンド・クロージングまたはTBC（To Be Continued）クロージングのどちらを使ってプレゼンを終えるのか、ケンジの選択を見てみましょう。

Conclusion

- 1. What is InstaEats?
- Vegetarian, Low Carb, and High Protein,
- 2. What is our edge?
- 100% Organic
- 3. Why are we the best value?
- Monthly subscription service

フィードバックのためのヒント

ストーリー・メッセージ

- ケンジは概要から抜粋して「主要ポイント」をくり返しましたか？
- ケンジは中盤から抜粋して「注目ポイント」をくり返しましたか？
- これはハッピーエンド・クロージングですか、それともTBCクロージングですか？

ビジュアル・メッセージ

- このスライドは読みにくいですか？読みにくいとしたら、その理由は？
- スライドは興味深いですか？ どうすればもっと面白くすることができますか？

回答編 スライドのビフォーアフター

ケンジのプレゼンにフィードバックをいただき、ありがとうございます！次に、ケンジが行った2回目のプレゼンを見て、彼がどの程度改善したかを見てみましょう。以下は、彼の最初のプレゼン（Before）と2番目のプレゼン（After）のスライドを並べたものです。私は彼の最初のプレゼンと2番目のプレゼンの両方についてフィードバックしました。

最初のプレゼンでは、ストーリー・メッセージの良い点を強調しました。彼のプレゼンには、第１～５部で説明したすべての要素が含まれていたと思いますか？ さらに最初のプレゼンでは、ケンジがビジュアル・メッセージを改善するために必要な点にフォーカスしました。２回目のプレゼンでは、ビジュアル・メッセージに関して改善されて良くなった点を称賛しました。

第1部 オープニング

Before

Ordering from InstaEats Delivery to Promote Health and Convenience

Kenji Abe

ストーリー・メッセージ ◯

- プロットがすばらしく英語も秀逸です！ プロット作成の構文（手段 to 目的）を使ったプロットの好例です。
- 健康と利便性というサービスの利点が明確です。

ビジュアル・メッセージ ×

- プロット（タイトル）がセリフ体で読みにくい。
- 色や画像がないと、退屈なスライドになってしまいます。

After

- 読みやすいサンセリフ（Sans Serif）書体（ゴシック体）に変わりました。
- ケンジは、色や文字の大きさを変えて上手くキーワードを強調しています。
- スペースから浮かないように、濃い色のボックスに文字を入れて、プロットを固定しました。
- 配達バイクの図像を加えて、アクティブで躍動感のあるスライドにしています。

Before

60%

ストーリー・メッセージ △

- ケンジのプレゼンにはフックがあります。ここでは彼は統計を使ってフックにしていますが、惜しい点は60%の意味が正確にはわからないことです。

ビジュアル・メッセージ ×

- 統計がナゾめいています。何が60％ですか？60%が何を意味するのか説明する必要があります。
- スライドにインパクトがないので、インパクトを与える画像が必要です。

After

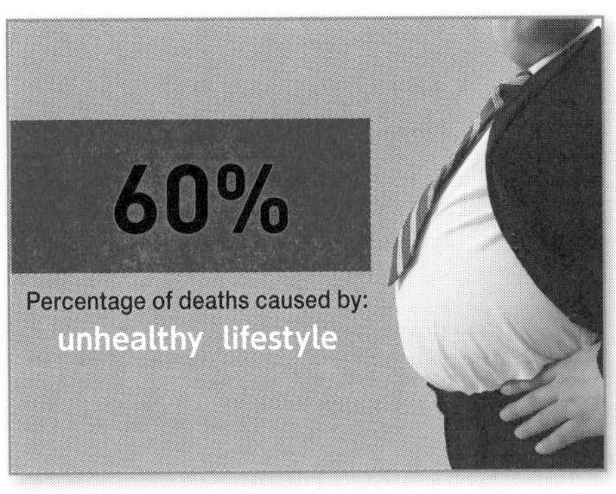

（不健康なライフスタイルによって起こる死亡率）

- これで60%の意味がハッキリしました。
- ケンジはくり返しを使って良い仕事をしています。タイトルスライドの濃い色のボックスを一貫して使っていますが、今回はその中に数字を入れています。
- 太り過ぎの男性のイメージは影響力があり、「不健康なライフスタイル」がどのように見えるかを正確に示しています。

Before

Overview

- 1. What is InstaEats?
- 2. What is our edge?
- 3. Why are we the best value?

ストーリー・メッセージ ○

- プレゼンのストーリーを事前に知らせる概要があります。
- いい英語です。主要ポイントが明確で、理解しやすいです。
- 「質問」の形式を使い、プレゼンでその質問に回答することで主要ポイントをまとめている点も評価できます。

After

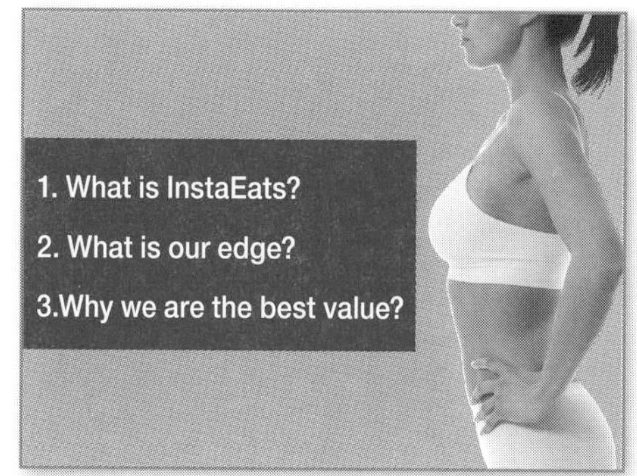

- くり返しをうまく活用しています。改善されたスライドではケンジが要点をまとめた暗い色のボックスをくり返し配置しましたね。
- 健康な女性の画像を使うことで、前のスライドで使った不健康な男性とは好対照の良いイメージを与えることができています。

第2部 理解してもらう

Before

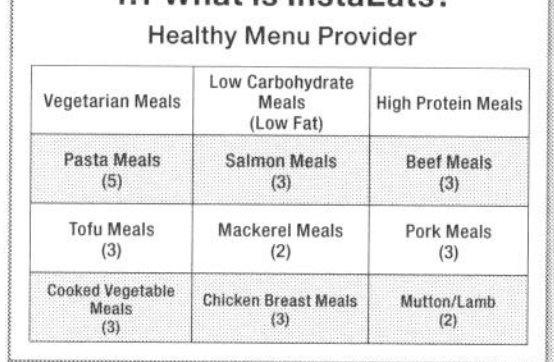

1.1 What is InstaEats?

Healthy Menu Provider

Vegetarian Meals	Low Carbohydrate Meals (Low Fat)	High Protein Meals
Pasta Meals (5)	Salmon Meals (3)	Beef Meals (3)
Tofu Meals (3)	Mackerel Meals (2)	Pork Meals (3)
Cooked Vegetable Meals (3)	Chicken Breast Meals (3)	Mutton/Lamb (2)

ストーリー・メッセージ ◯

- ケンジの第2部は順調なスタートを切りました。スライドにはサービスの「内容」「方法」「理由」が明確に表示されています。
- サービスの「内容」に関するスライドは非常に具体的です。 InstaEats が提供する食事の種類と、そのバリエーションがいくつあるかが正確にわかります。

ビジュアル・メッセージ ╳

- ただ数字と言葉を並べただけの凡庸なスライドです。
- メニューについての情報は十分です。しかし、メニューを言葉で言うだけでなく、料理をビジュアルで見せたほうがいいでしょう。

After

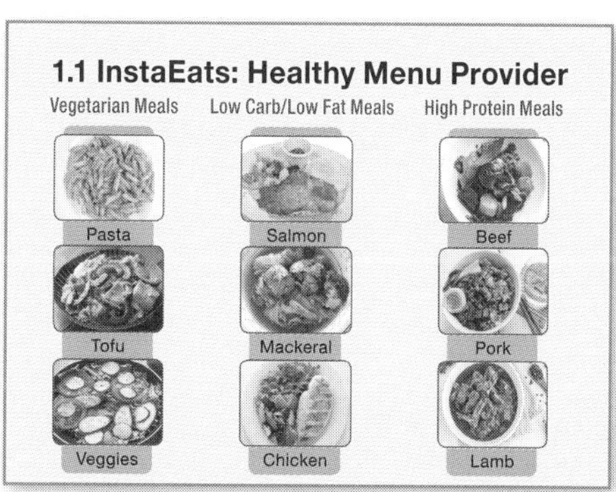

- いいスライドです。一目でよりわかりやすく、理解しやすくなりました。
- 食事の名前だけでなく、食事の種類も画像を使って表示したことも改善点です。

Before

1.2 What is InstaEats?

1. Order
2. Deliver
3. Microwave
4. Enjoy
5. Recycle

ストーリー・メッセージ ○

- 今度は「方法」についてのスライドです。このスライドによって、最初から最後までのサービスの流れを理解することができます。

ビジュアル・メッセージ ×

- くり返しになりますが、ただ文字だけが並んだ、活気のない凡庸なスライドです。
- これは一連のステップですから、ケンジは単に言葉を羅列するのではなく、フローチャートを使ったほうが良かったでしょう。

After

- フローチャートを配置して、はるかに直感的なデザインになりました。これならサービスの流れが一目でわかります。
- 各ステップのアクションを表す、アイコンのような画像を使用することで工夫しています。

Before

1.3 What is InstaEats?

- Opportunity for growth
- McKinsey & Company project an annual growth rate of 14.9%
- Online food ordering will overtake offline ordering

ストーリー・メッセージ ○

- この「理由」についてのスライドは、成長の可能性について説明しています。

ビジュアル・メッセージ ×

- やはり文字だけでは退屈です！　成長の可能性に対する興奮が伝わるビジュアルではありません。
- 成長について話しているので、やはり何らかのグラフを示す必要があるでしょう。

After

- 劇的に良くなりました。グラフを配置することで「成長」が伝わります。オンライン販売の成長と可能性について、一目でわかります。
- 毎年のデータを表示しないことでスライドをシンプルにまとめ、工夫しています。３年ごとの成長を表示することで、スライドはより単純になり、成長の見せ方もより劇的になっています。

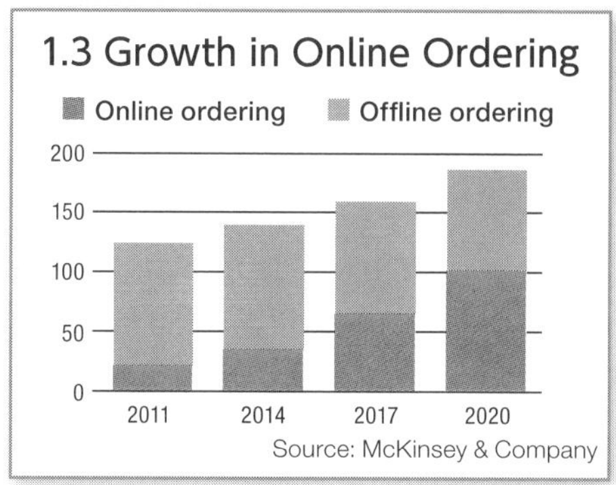

第 3 部 同意してもらう

Before

2.1 What is our edge?

	Organic	Vegetarian	Low Carb	High Protein
InstaEats	100%	◎	◎	◎
UEats	50-60%	○	X	△
TastyBento	40-60%	X	X	△
Mina Obento	30-50%	X	X	X

ストーリー・メッセージ ○

- 第３部の構成はすばらしい。ここでは InstaEats の競合を特定し、InstaEats がどのようにして競合を打ち負かすかを示しています。

ビジュアル・メッセージ ×

- 第１部のときと同じで、ビジュアルとしてはつまらない凡庸なスライドです。

After

- かなり良くなりました。同じ表ですが、形と色を工夫して、より興味深く見えるように、シンプルにまとめています。
- カラフルな色を使って InstaEats に注目を集めている点もポイントです。一方で競合他社には灰色を使用しています。

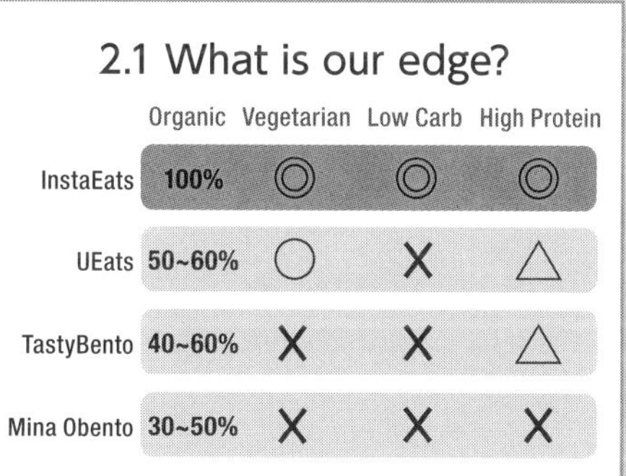

2.1 What is our edge?

	Organic	Vegetarian	Low Carb	High Protein
InstaEats	100%	◎	◎	◎
UEats	50~60%	○	X	△
TastyBento	40~60%	X	X	△
Mina Obento	30~50%	X	X	X

第4部 弱点をフォローする

Before

3.1 Why we are the best value?

Monthly Subscription Service

Sunday	Monday	Tuesday	Wednesday	Thursday	Friday	Saturday
1	2	3		5	6	7
8	9	1		2	13	14
15	16	17		19	20	21
22	23	24	25	26	27	28
29	30	31				

Reduces price by: 20%

ストーリー・メッセージ ◯

- ケンジはInstaEatsの弱点が何かを特定しています。つまり、値段がネックなのです。

ビジュアル・メッセージ ×

- スライドがわかりにくいです。月額のサブスクリプション・サービスとはどういったものなのか、りんごのイメージは何を示しているのかがわかりません。

After

- 劇的に良くなりました！　このスライドは月額のサブスクリプション・サービスについてビジュアルで上手く伝えています。
- 月額の料金で10回まで宅配を頼むことができ、そのうち2回分は無料となることがわかります。

第5部 クロージング

Before

Conclusion

- 1. What is InstaEats?
- Vegetarian, Low Carb, and High Protein,
- 2. What is our edge?
- 100% Organic
- 3. Why are we the best value?
- Monthly subscription service

ストーリー・メッセージ ◯

- 第１部の概要から「主要ポイント」をくり返し、第２～４部からは「注目ポイント」をくり返すことで、上手く結論に導いています。
- この種のプレゼンの締めとして最適な「ハッピーエンド・クロージング」の形式を選んだのも正解です。

ビジュアル・メッセージ ╳

- スライドがゴチャゴチャしています。焦点が絞り切れていません。主要ポイントと注目ポイントが同じサイズの文字で表示され、メリハリがありません。文字のサイズや色分けにもっと配慮して工夫する必要があります。
- 全般的に凡庸なスライドです。黒一色で、何のイメージもありませんから。

After

- いいスライドです！　白字と黒字のインデント（行頭を空けること）を使って、主要ポイントと注目ポイントを上手に整理できています。
- 最初に「概要」のスライドに使った、濃い色のボックスと健康的な女性の画像イメージを再びここで引用することで、最後に今回のプレゼンを総括し、上手く締めています。

ここまでのまとめ

ケンジは、プレゼン本番に備えてビジュアル・メッセージを改善するすばらしい仕事をやってのけました。特に、オレンジ色を効果的に使ったすばらしいスライドを作成しました。使用した色使いもシンプルです。スライドには基本的に色の濃さが異なる2つのオレンジ色（濃いオレンジと薄いオレンジ)、グレー1色、それに白と黒だけが使われています。

さらに、彼は同じイメージをくり返し用いることで、プレゼンのオープニングとクロージングにつながりと連続性を与えました。第1部のオープニング・パート（p.131）では全体を通して濃いオレンジ色のボックスがくり返し使われ、第5部のクロージング・パート（p.137）に登場した要約スライドでも、濃いオレンジ色のボックスがくり返し使われていました。

最後に、ケンジは自分のアイデアを言葉だけでなく、イメージでも表すように工夫していました。 ビジュアル面を改善したスライドには、健康な人や不健康な人のイメージ、成長を伝えるグラフ、美味しそうなゴハンのイメージなどが満載でした。くり返しますが、決してケンジはデザイン専攻などではありません（ちなみに国際関係を専攻しています)。彼はMac用のKeynoteだけを使ってこれらのスライドをすべて作成しました。ケンジにもできるのですから、あなたにだって必ずできるはずです！

私がプレゼンを教えることをやりがいのある仕事と感じている理由がここにあります。教師の立場からすると、受講者が英語力を伸ばすのを実感するには通常、非常に長い時間を必要とするものです。しかし、ケンジのプレゼンの場合はどうでしょう？　彼はここで伝えたパワー・プレゼンテーションのテクニックを駆使することで、たった数週間でプレゼン能力を飛躍的に向上させたのです！

Stage 2 ビジュアルを説明するには？

ここまでで、優れたビジュアルをデザインするための原則についてはわかったと思います。プレゼンに最適なフォント、サンセリフについてお伝えしました。画像と図形の使い方や、それらをスライドに上手く配置するレイアウト方法も見てきました。そして仕上げに、ケンジのプレゼンを例に挙げてケース・スタディも行いました。これで、いよいよパワー・プレゼンテーションの極意の１つである「ビジュアルを説明する」方法について解説するための準備がすっかり整いました。

これはできるだけシンプルな最小限の英語で済ませるためのテクニックで、英語があまり得意ではないかもしれないあなたに代わってビジュアルに語ってもらいます。 あなたの仕事は、数語の英単語を話し、（レーザー）ポインターで指し示して、ビジュアルを通して聞き手をガイドすることだけです。下記にやり方を示します。

IEITテクニックを使って説明しよう！

まずはプレゼンの比較から始めましょう。 同じスライドについての２つの説明を次に示します。 あなたはどちらが良いと思いますか？

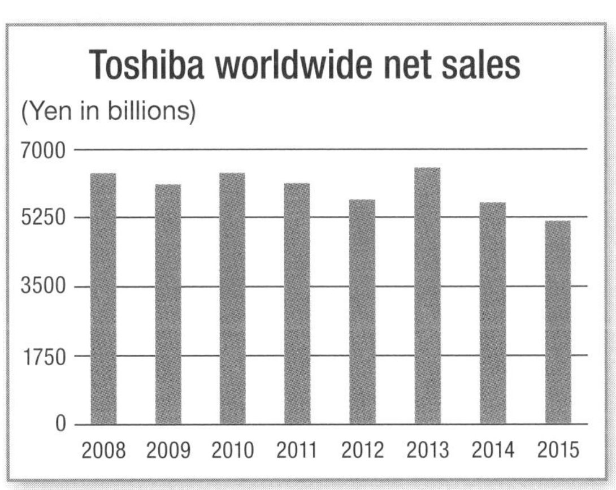

例 1

Now I would like to direct your attention to this next slide. As you can see, starting in fiscal 2008, sales stood at 6 billion 373 million Japanese yen. As you can see, this was followed in the next year, fiscal 2009, by a slight drop to just above 6 billion yen. In the next year, that would be fiscal 2010, sales recovered slightly, as you can see, to about 6.2 billion yen. This was followed by yet... ...sales continued downward to 3 billion 693 million. Let's look at the next slide.

次のスライドに注意を向けたいと思います。ご覧のとおり、2008年度以降、売上高は63億7,300万円となりました。ご覧のとおり、その後、次年度の2009年度は60億円強と微減でした。来年度の2010年は売上高は62億円と微増でした。その後は……（注：長いので省略）…….は36億9300万円まで減少しました。次のスライドを見てみましょう。

例 2

This bar graph shows Toshiba worldwide net sales from fiscal 2008 until 2018.

This is years. And this is yen in billions.

The point I want to emphasize is that sales are down every year except for two years.

What caused this decline? And Is there any hope for recovery?

The answers are on the next slide...

この棒グラフは2008～2018年の会計年度の東芝の世界全体の純売上高を示しています。

これは年を示しています。 そして、これは10億単位の金額を示しています。

私が強調したいのは、2年間を除いて売上高が毎年減少している点です。

この低下の原因は何でしょうか？　そして回復する見込みはあるのでしょうか？

答えは次のスライドにあります……。

▶例1の解説

あなたはどちらの例が良かったでしょうか？ もちろん2つ目ですよね。しかし、どうしてなのでしょうか？　例1があまり良くない説明である理由は、少なくとも4つ考えられます。

1 言葉がくどく、無駄なくり返しが多い

例1のプレゼンターは言う必要がないことまで多く述べ、多くのことを何度もくり返しています。彼は **fiscal**（会計上の）という単語を数回くり返していました。どうしてもその単語を使う必要があったとしても、一度言えば十分です。**As you can see**（ご覧のように）というフレーズも多用していますが、聞き手にすでに見えているのなら、わざわざ言及する必要はありません！

2 ビジュアルと話し手の役割分担ができていない

毎年の売上高の増減をいちいち読み上げる必要もありません。ビジュアルからその情報を読み取ることができるからです。それこそがビジュアルの役割です！　ビジュアルは毎年の増減を示しています。にもかかわらず、ビジュアルがすでに図示しているものを彼は言葉で読み上げてしまっています。ビジュアルは言葉で説明するよりもはるかに速くデータを示すことができます。迅速かつ明確にデータの内容を伝えるために、ビジュアルを使うわけです。

すでにビジュアルで示していることを重複して伝える必要はありません。話し手はむしろそのデータが何を意味するのかを伝えなくてはいけません。ビジュアルの役割はデータを表示することであり、話し手の役割はデータを解釈・分析し、それが何を意味するのかを解説することなのです。

3 つまり、要点は何？

冗長な説明の後も、スライドの要点はまだ判然としません。プレゼンにそのスライドを出したのはなぜなのか？　データの示すポイントは何なのか？**The key point of the data is...**（データの要点は……）あるいは、**What I hope you remember is...**（覚えておいてほしいことは……）などと言って、明らかに例1の話し手は解説を加える必要がありました。

4 日本文化のデータ偏重による弊害が起きている

日本のプレゼンターがデータを詳細に検討したがる傾向があるのには、文化的な理由も関係しているかもしれません。私の経験上、日本ではデータはほとんど宝物のように崇められているように思います。p.140の例のプレゼンターもこの至宝のデータを聞き手と共有している気分なのかもしれません。

日本の経営者や管理職もデータを好みます。 私には時々「データであれば何でもいいのか」と感じてしまうこともあります。「データが多ければ多いほど、プレゼンの品質が向上する」と思い込んでしまっている人も多いのです。

Column

「森」が見たいか、「木」を見たいか?

数年前、東芝で、人事部が私のクラスの受講生に対してミーティングを開いたことがありました。当時、東芝にはネイティブ・スピーカーの常勤トレーナーが6人程度いました。

発表者の伊藤さんがミーティングの場に現れ、非常に詳細なデータのスライドとハンドアウトを示しました。データは受講生の出席数、受講生のスコア、授業に対する満足度、教室に対する受講者の満足度(授業とは関係ありません)、食堂で出る食事に対する満足度(これも授業とは関係ありません)でした。

とにかく伊藤さんはあらゆるデータを提出しました。外国人トレーナーは困惑していました。私たちもてっきり人事部から何らかの大きな発表があると思っていました。

数字に何の意味が? いいニュース、それとも悪いニュース? プログラムに問題が生じたのか? 東芝は規模を縮小する方針なのか? 私たちのクラスは閉鎖の危険にさらされているのか? 受講生が満足していなかったとか? 国際研修センターが閉鎖あるいは移転になるとか? 一体、データが示すものとは?

やがて伊藤さんのプレゼンが終了しました。彼は私たちの顔を見ました。この場が何を意味するのかについての手がかりを探して、私たちも彼の顔を見ました。ついに受講生の1人が切り出しました。

「伊藤さん、詳しくお話しいただきありがとうございます。本日はお忙しい中お時間を割いていただき誠にありがとうございます。詳細なデータもありがとうございました。それで、つまりその……要点は何なのでしょうか？」
「要点ですか？」伊藤さんは答えました。
「はい。なぜこの情報を提供してくれたのですか？」
　今や困惑しているのは伊藤さんのほうでした。「なぜ……って、私たちが受講生のみなさんと情報を共有したかったからです」

　貴重なデータを私たちと共有したと伊藤さんは考えているようでしたが、整理されていない情報をどう受け取ったらいいのか私たちには判断がつきませんでした。文化的に隔たってしまった私たちの側としては、データとプレゼンを通して何らかの提案があるか、論点が示されることを期待しました。

　伊藤さんはデータを通じて何を言おうとしたのでしょうか？　別の見方をすれば、伊藤さんはデータを話の材料だと考えているようでした。

　データは材料だというのは私たちも同じ認識でしたが、それでもプレゼンターがデータを使って何かを組み立て、発表してくれるものだと期待していました。私はプレゼンのデータ自体には意味はないと思っています。プレゼンターがデータに基づいて構築したものこそが、有用で価値があります。プレゼンで提示されるデータには明確な論点が必要なのです。

　ですから、ここには文化的な対立があります。海外の聴衆にとっては「日本のプレゼンは無関係なデータが多過ぎる」と感じるのに対し、日本の聴衆にとっては「海外のプレゼンはデータが不十分だ」と感じることがよくあります。したがってここは「郷に入れば郷に従え」です。

　日本の聴衆に対して発表する際は、十分なデータを用意してください。海外の聴衆に向けてプレゼンするときは、伝えたいメッセージをサポートするのに十分なデータを用意し、余ったデータは質疑応答のために取っておいてください。海外の聴衆は「森」を見たいと思い、日本の観客は「木」を見たいと思うという傾向があるようです。

▶例2の解説

p.140 の例 2 は短く、論点がハッキリしていて的を得ています。 ビジュアルはその役割を果たし、話者も自分の仕事に徹しています。プレゼンターがこれを実践するには、次の IEIT（紹介・説明・解釈・トランジション）という 4 つのステップが必要です。

ステップ 1 スライドを紹介する Introduce

イントロダクション（紹介）は重要です。例えばあなたが営業担当だとします。あなたは重要な顧客を訪問し、エンジニアの同僚に手伝ってもらって製品の技術的な詳細について説明するとします。顧客はあなたの同僚に会ったことがありませんでした。この場合、同僚を顧客に紹介しなかったら不自然ですよね？　3 人が同席した直後、同僚が突然、製品の詳細を説明し始めたらおかしいでしょう。

同様に、あなたがスライドで示すビジュアルを見るのは、聞き手がこれまでに会ったことのないあなたの同僚だと思ってください。その場合はビジュアルを聞き手に紹介する必要があります。聞き手にそれが一体、どんな内容なのかを紹介してください。聞き手にそれが何であるかを伝えて、スライドを紹介します。スライドは比較表ですか？　テストの結果？　不良品の写真？　回路基板の図？　それともテストのスコアを示す曲線ですか？　例 2 のプレゼンターは次のようにスライドを紹介していました。

This bar graph shows Toshiba worldwide net sales from fiscal 2008 until 2018.

この棒グラフは、2008 ～ 2018 年の会計年度の、東芝の世界全体の純売上高を示しています。

スライドが何を示すのかについてはわかりました。次は、スライドのグラフの意味を聞き手に理解してもらう必要があります。

ステップ 2 スライドを説明する Explain

ビジュアルを説明する際に犯しがちなミスは、プレゼンターが「説明し過ぎる」ことです。 プレゼンにおいて、ビジュアルの役割は何で、話者であるあなたの役割は何か、役割分担について真剣に考える必要があります。 あなたの役割は、聞き手が各自でスライドを見てすぐに理解してもらえるよう、指示することです。 この場合、横軸と縦軸について知らせる必要があります。p.140 の例 2のプレゼンターはそれぞれの軸を指してこう言っています。

This is years. And this is yen in billions.
これは年を示しています。 これは 10 億単位の金額を示しています。

言うべきセリフはたったこれだけです。 これがこのグラフを理解するのに必要なすべての情報です。

Column

視覚情報と言語情報を統合しよう!

私は日本に単身赴任している身の上です。息子たちは日本で生まれましたが、高校生になると、妻と息子が米国に移住し、バイリンガルとして育ちました。私は息子たちとアメリカでは犬を飼ってもいいという約束を交わし、妻と息子たちは大きくて美しく、エネルギッシュなサニーという名前のゴールデンレトリバーを手に入れました。私がアメリカを訪ねたとき、彼らは裏庭で犬と遊ぶ面白いゲームを考案していました。赤と黄色の2つのボールを用意し、庭に置きました。それからサニーに赤いボールを取ってくるように命じました。50%の確率でサニーは間違って黄色いボールを取ってきました。どういうわけか彼らはサニーがこの間違いを犯すのを見て楽しんでいるようでした。しかし、彼らが赤いボールを指して**Go get the red ball**(赤いボールを取ってきて)と言うと、サニーは常に正しいほうのボールをくわえました。数日後、ゲームは進化し、ボールを指して「**Go**」と言うだけになりました。犬は走って正しいボールを手に入れます。最終的にゲームはさらに洗練されて、赤または黄色のボールをただ指で指し示すようになりました。こうしてサニーは常に正しいボールを選ぶことができるようになったわけです。

もちろん聴衆は犬ではないことを重々承知していますが、このエピソードは私に2つの教訓を与えてくれました。

教訓 1：イメージと言葉を関連づけるべし

上記のストーリーには、ビジュアル・メッセージ（赤と黄色のボール）と言葉によるヴァーバル・メッセージ（Go get the red ball）がありました。最初は視覚と言葉の両方でメッセージを受け取っていたとしても、サニー自身がそれらをつなげて解釈することは困難でした。しかし、ボールが指されると、サニーの中でビジュアル・メッセージと言語メッセージがつながりました。

プレゼンにおいても同様に、聞き手にはスクリーンに映し出されるイメージと口から出てくる言葉の両方を同時に理解してもらわなければなりません。イメージの詳細を示さない限り、ビジュアルで表示されているものを私たちが言っていることに結びつけるのが聞き手には難しいかもしれません。ポインターを使用して、表示している内容と発言内容を関連づける必要があります。ただ口で説明するだけでは不十分です。聴衆とは怠惰なもので、スライド上の情報をあなたが言っていることに積極的に結びつけようとなどとしてくれません。それはあなたの役割です。あなたの役割は、ポインターを使用して、視覚と言葉による2つのメッセージを聞き手のために統合することなのです。

教訓2：言葉による指示は最小限に！

また上記のストーリーでは、ボールを指すことで、言葉によるメッセージが最小限に抑えられました。**Go get the red ball**（赤いボールを取ってきて）の代わりに、息子たちは**Go**と言って指さしました。5つの単語ではなく、たった1つの単語にまで簡略化したのです。プレゼンにおいても、**The horizontal axis is time.**（横軸は時間です）と言う代わりに、**This is time.**（これは時間です）とポインターで指して言えば事足ります。5語ではなく、3語にまで簡略化できます。ポインターを使うことで、英語のメッセージを最小限にまで簡略化することができるのです。

ステップ 3 スライドを解釈する Interpret

ここまで、スライドを聞き手に紹介し、ビジュアルの見方について聞き手に説明しました。 次は、情報を解釈して聞き手に要点を伝える必要があります。 聞き手は恐らく「はい。情報は確認しましたが、それで？　何が言いたいのですか？」と感じているでしょう。したがって次の段階ではポイントを明確に伝える必要があります。p.140の例2のスピーカーは、次のように言ってこれを実践しました。

The point I want to emphasize is that sales are down every year except for two years.

私が強調したいのは、2年間を除いて売上高が毎年減少している点です。

これこそが、このスライドがプレゼンのストーリー・メッセージを伝えるのに役立っている点です。つまり「売上が減少しています。 深刻な減少。それも毎年。10年間で大幅な減少です」というメッセージを明確に、視覚的に打ち出すことができました。 次に、発表者はこのスライドのメッセージを次のスライドにつなぐ必要があります。

ステップ 4 トランジション（つなぎ）を加える Transition

私の講座の受講生の最大の弱点の1つはトランジション（つなぎ）が下手なことです。良いプレゼンにとって、スムーズなトランジションは不可欠です。ですから、トランジションについては少しスペースを割いて解説しましょう。

トランジションは、あるスライドと次のスライドの間に構築する英単語のブリッジ（橋）のようなものです。 トランジションはスライド同士を関連づけ、一連のスライドを劇的なストーリーへと変えてくれます。 このブリッジがあるおかげで、1つのスライドから次のスライドへと聞き手があなたの思考をトレースすることが可能になるのです。 トランジションが次の図のように機能するのをイメージしてください。

トランジションがなければストーリーもない

トランジションなしではストーリーが生まれません。 互いに無関係なスライドをただ並べるだけでは、プレゼンになりません。聞き手はスライド同士の関係が把握できず、一連のスライドはまったくのランダムであるように思えます。聞き手は個々のスライドの意味については理解できるかもしれませんが、プレゼンの要点が何かは理解できません。 この場合、聞き手の体験は下図のようになります。

Next… はトランジションではない！

Next,...（次へ……）、Next,...（次へ……）、Next,...（次へ……）の連続では良い言葉の橋渡しにはなりません。 聞き手はすでに次のスライドが「次」であることを知っているからです。 ですから、Next,...（次へ……）と言われても、スライド間のつながりについての情報はゼロです。 個々のスライドについては理解しやすかったとしても、スライド間のつながりは謎（ミステリー）のまま

です。 ミステリーは小説や映画にとってはエキサイティングですが、プレゼンの聞き手はミステリーを嫌います！　したがって、上図のような橋渡しは避けてください。

トランジションを使って、つながりをハッキリさせよう

聞き手はスライド間のつながりが何なのか正確に知りたいものです。 次のスライドは具体例ですか？ 比較ですか？ それとも解決策ですか？ トランジションを使ってストーリーを明確にしましょう！ 下記は p.140 で例 2 のプレゼンターが用いたトランジションです。

数字の低下の原因は何でしょうか？　そして回復する見込みはあるのでしょうか？　答えは次のスライドで示されます……。

▶2種類のトランジションの組み立て方

タイプ 1 ロケーション・トランジション

どうやってスライド間のトランジションを構築すればよいでしょうか？ 単純で非常に効果的なトランジションの１つに「ロケーション・トランジション」があります。 今プレゼンのどこを話していて、次にどこに行くのかを正確に聞き手に伝えます。 あなたは何について話し終えましたか、そして次に何について話しますか？　この場合、言葉のブリッジの前半は過去形、後半は未来形となります。 いくつか例を示しましょう。

042

過去形（スライド１）	未来形（スライド２）
I introduced the problem. 問題点を紹介しました。 →	Next, I'm going to propose a solution. 次に、解決策を提案します。
We agreed we have a problem. 我々は問題点を共有しました。 →	Next, we will look together for a solution. 次に、いっしょに解決策を見ていきます。
We saw the problem is complex. 問題が複雑であることがわかりました。 →	Now, I will show a simple solution. 今からシンプルな解決策をお見せします。
This slide gave us the background of the problem. このスライドによって問題の背景がわかりました。 →	Now, we will see our best option. 今からベストな選択肢を見ていきましょう。

タイプ 2 Q&A トランジション

Q&A トランジションは私のお気に入りのテクニックです。p.140 の例 2 で発表者が使った手法でもあります。 スライドの紹介・説明・解釈が終わったら、次のスライドで回答が示される前に質問を投げかけます。 Q&A トランジションのバリエーションを下記にいくつか示します。

043

要約（スライド 1）	質問（スライド 2）
The problem is growing. 問題は増大しています。	→ Now, what can we do about it? 今、それについて私たちには何ができるでしょう？
We agreed we have a problem. 問題点については我々は共有しました。	→ Next, can we agree on a solution? 次に解決策については同意できるしょうか？
We saw the problem is complex. 問題が複雑であることがわかりました。	→ But, is there a simple solution? しかし、シンプルな解決策なんてあるのでしょうか？
That summarizes the problem and its causes. これが問題とその原因をまとめたものです	→ Now, what is our best option? それでは私たちにとって最善の選択とは何なのでしょうか？

ここまでのまとめ

ケース・スタディに進む前に、今まで見てきたことを復習して知識として定着させましょう。この章ではビジュアルを説明するための IEIT テクニックを使った 4 つのステップについて解説しました。

ステップ 1 スライドを紹介する Introduce

This bar graph shows Toshiba worldwide net sales from fiscal 2008 until 2018.
この棒グラフは、2008～2018年の会計年度の、東芝の世界全体の純売上高を示しています。

ステップ 2 スライドを説明する Explain

This is years. And this is yen in billions.
これは年を示しています。これは10億単位の金額を示しています。

ステップ 3 スライドを解釈する Interpret

The point I want to emphasize is that sales are down every year except for two years.
私が強調したいのは、2年間を除いて売上高が毎年減少している点です。

ステップ 4 トランジションを加える Transition

What caused this decline? And, is there any hope for recovery? The answers are on the next slide.
この低下の原因は何でしょうか？　そして回復する見込みはあるのでしょうか？
答えは次のスライドにあります……。

IEIT 用語集

次の章のケース・スタディに進む前に、参考までに4つのステップのそれぞれの段階で使える便利な英語フレーズを紹介しておきます。

ステップ1 スライドを紹介する Introduce

→	ビジュアルの種類 →	動詞 →	名詞
This この	bar graph 棒グラフ pie graph 円グラフ scatter graph 散布図 line graph 折れ線グラフ radar graph レーダーチャート flow chart フローチャート photograph 写真 diagram 図表 illustration イラスト table 表	shows 示す compares 比較する describes 表現する explains 説明する	net sales. 純売上高 speed of production. 生産速度 deaths from diabetes. 糖尿病による死亡 5G usage worldwide. 世界での5G使用量 number of births. 出生数 number of immigrants. 移民の数 class attendance. 出席状況 population growth. 人口増加 GNP growth. GNPの伸び

ステップ2 スライドを説明する Explain

→	ビジュアルの種類 →	動詞 →	名詞
This その	horizontal axis 横軸 vertical axis 縦軸 blue line 青線 red area 赤い領域 upper box 上のボックス lower box 下のボックス	shows 示す defines 定義する describes 表現する represents 象徴する stands for 表す	monthly sales. 月額の売上 birth rate by country 国別の出生率 number of visitors. 訪問者数 Olympic attendance. オリンピックの参加状況 speed. 速度

→	ビジュアルの種類 →	動詞 →	名詞
These これらの	dots 点 lines 線 areas エリア boxes ボックス colors 色	show 示す define 定義する describe 表現する represent 象徴する stand for 表す	monthly sales. 月額の売上 birth rate by country 国別の出生率 number of visitors. 訪問者数 speed. 速度 Olympic attendance. オリンピックの参加状況

ステップ 3 スライドを解釈する Interpret

出だし →	内容
The key point is (that)... 大事な点は〜 The important point is (that)... 重要な点は〜 Please note (that)... 〜にご注意ください The point I want you to remember is (that)... 覚えておいていただきたい点は〜	diabetes is increasing in developed countries. 糖尿病は先進国で増加している GNP declined in January and February. GNP は 1 月と 2 月に減少する attendance at J-League games fell 2 years in a row. J リーグの入場者数が 2 年連続で減少した we are behind schedule by two weeks. 予定より 2 週間遅れている there are three major learning styles. 3 つの主要な学習スタイルがある

ステップ4 トランジションを加える Transition

●ロケーション・トランジション

過去形（スライド1）	未来形（スライド2）
I introduced the problem 問題点を紹介しました。 →	Next, I'm going to propose a solution. 次は、解決策を提示します。
We agreed we have a problem 私たちは問題点を共有しました。 →	Next, we will look together for a solution. 次はいっしょに解決策を見ていきましょう。
We saw the problem is complex 問題が複雑であることがわかりました。 →	Now, I will show a simple solution. 次はシンプルな解決策をお見せします。
This slide gave us the background of the problem このスライドによって問題の背景がわかりました。 →	Now, we will see our best option. それではベストな選択肢を見ていきましょう。

● Q&Aトランジション

要約（スライド1）	質問（スライド2）
The problem is growing 問題は増大しています。 →	Now, what can we do about it? では、私たちは何ができるでしょう？
We agreed we have a problem 私たちは問題点を共有しました。 →	Next, can we agree on a solution? 次は解決策で合意できるでしょうか？
We saw the problem is complex 問題が複雑であることがわかりました。 →	But, is there a simple solution? しかし、シンプルな解決策なんてあるのでしょうか？
That summarizes the problem and its causes それは問題とその原因を要約しています。 →	Now, what is our best option? それでは、ベストな選択肢は何なのでしょうか？

問題編 ケンジのスライドを説明するには？

ケンジのプレゼンの例に戻りましょう。前回のケース・スタディでは、彼のプレゼンのビジュアル・デザインを改善しました。今回のケース・スタディでは、彼が作成したビジュアルの説明に焦点を当てます。ケンジのスライドをもう一度ふり返ってみましょう。各スライドで伝えるべきメッセージを考えてみてください。 彼は各スライドについて、英語でどういう風に説明すべきなのでしょうか？

第 1 部と第 5 部のスライドを英語で説明するには、本書のストーリー・メッセージの章にあるできるだけシンプルな英語で話す方法に関するヒント（p.19、24、30、35、38）が参考になるでしょう。第 2 ～ 4 部のスライドの説明については、たった今学んだ IEIT テクニック（p.139）が役立ちます。ここでは第 1 ～ 5 部のスライドごとに簡単なヒントをまとめました。さあ、始めましょう！

第 1 部 オープニング

スライド 1

プロットを話す

プロットを話すときのヒント

Today's topic is ＿＿＿＿＿＿＿＿

今日の話題は……

スライド2

話にフックをつける

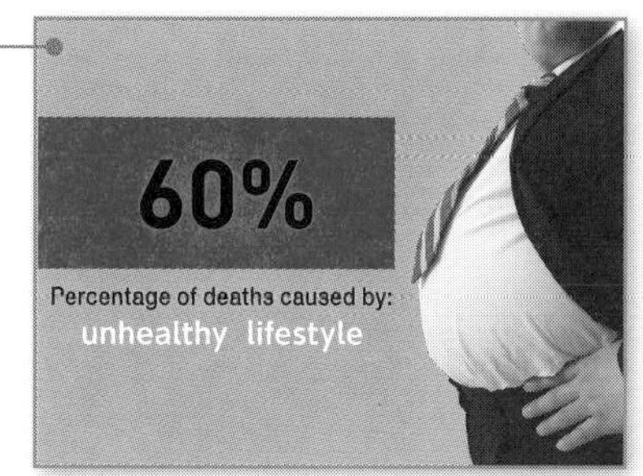

話にフックをつけるときのヒント

1	数値などを紹介する	
2	それが何を意味するかを説明する	
3	レトリカルクエスチョンを使って問題提起する	
4	概要へと移行する、トランジション	

スライド3

概要を提示する

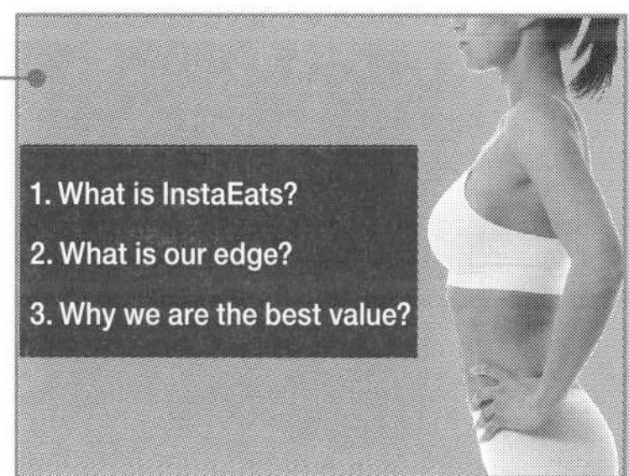

概要を提示するときのヒント

First, ...　最初に……。

Second, ...　2番目に……。

Finally, ...　最後に……。

第2部へ移行する

第2部 理解してもらう

スライド 4

What is InstaEats?

1.1 InstaEats: Healthy Menu Provider
Vegetarian Meals / Low Carb/Low Fat Meals / High Protein Meals
Pasta / Salmon / Beef
Tofu / Mackeral / Pork
Veggies / Chicken / Lamb

第2部を説明するときのヒント

1	スライドを紹介する (Introduce)	
2	スライドを説明する (Explain)	
3	スライドを解釈する (Interpret)	
4	次のスライドへのトランジション (Transition)	

スライド 5

How does InstaEats works?

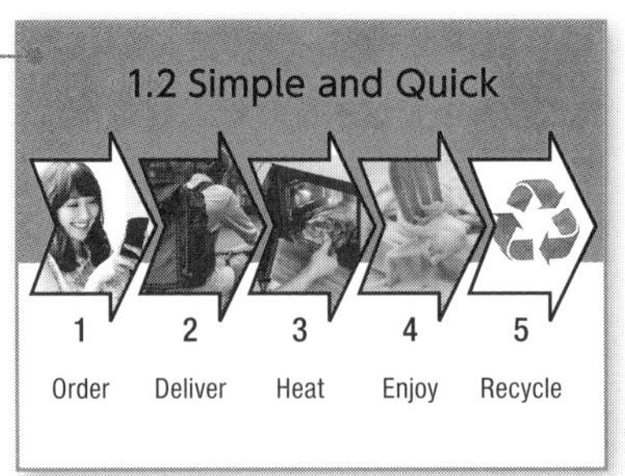

第2部を説明するときのヒント

1	スライドを紹介する (Introduce)	
2	スライドを説明する (Explain)	
3	スライドを解釈する (Interpret)	
4	次のスライドへのトランジション (Transition)	

スライド6

Why InstaEats is a good investment?

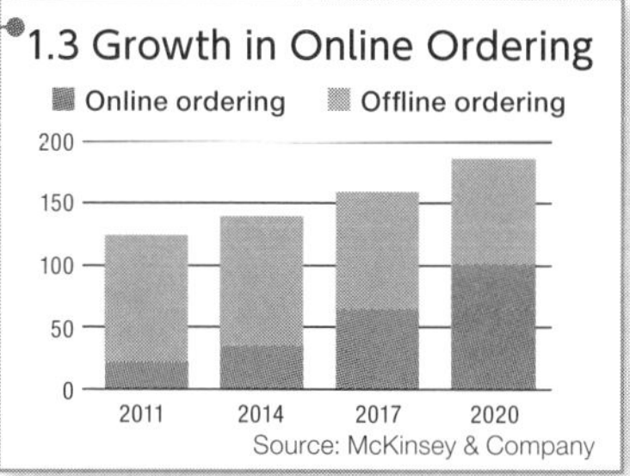

第2部を説明するときのヒント

1	スライドを紹介する (Introduce)	
2	スライドを説明する (Explain)	
3	スライドを解釈する (Interpret)	
4	次のスライドへのトランジション (Transition)	

第3部 同意してもらう

スライド7

InstaEats competitors

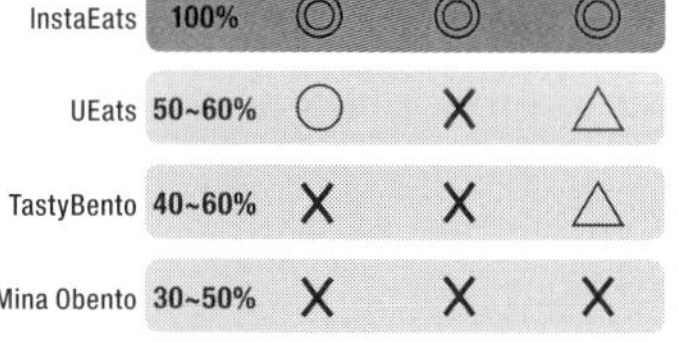

第3部を説明するときのヒント

1	スライドを紹介する (Introduce)	
2	スライドを説明する (Explain)	
3	スライドを解釈する (Interpret)	
4	次のスライドへのトランジション (Transition)	

第 4 部 弱点をフォローする

スライド 8

真っ黒なスライド

第 4 部を説明するときのヒント

1	調子を変えて、聞き手の注意を引く	Blacken the screen. Press letter "B" on the keyboard.
2	弱点を正直に話す	
3	弱点の解決策について話す	

1	スライドを紹介する (Introduce)	
2	スライドを説明する (Explain)	
3	スライドを解釈する (Interpret)	
4	次のスライドへのトランジション (Transition)	

第5部 クロージング

スライド9

結論

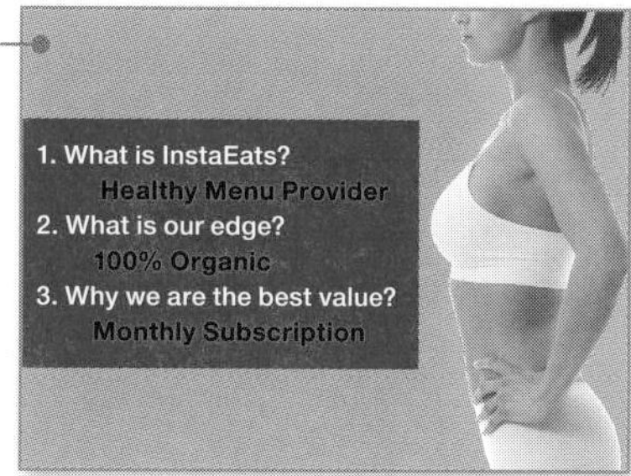

第5部を説明するときのヒント

1	クロージングへのつなぎ、トランジション	
2	プロットについてくり返し話す	
3	要約する	
4	聞き手に感謝し、質疑応答に移行する	

回答編 ケンジの説明を聞いてみよう！

ケンジが作成したそれぞれのスライドを説明する英語について考えてくれてありがとうございます。それでは、ケンジの説明とあなたの考えた説明を比べてみましょう。

第1部 オープニング

スライド1

プロットを話す

Hello everyone!
Thank you for coming.
My name is Kenji Abe.
Today's topic is:
Ordering from InstaEats Delivery Service to promote health and convenience.

みなさん、こんにちは！
ご来場ありがとうございます。
阿部ケンジです。
今日のトピックは次のとおりです。
InstaEatsのデリバリー・サービスに注文して健康と利便性を促進すること。

045

スライド2

話にフックをつける

60%
Percentage of deaths caused by:
unhealthy lifestyle

60%!
This is the percentage of deaths caused by unhealthy lifestyle!
What can you do to avoid this?
Let's take a look at how you can start eating healthily today.

60%！
これは不健康なライフスタイルによって引き起こされる死亡率です！
これを避けるには何ができるのでしょうか？
今日から健康的な食事を始める方法を見てみましょう。

スライド 3

概要を提示する

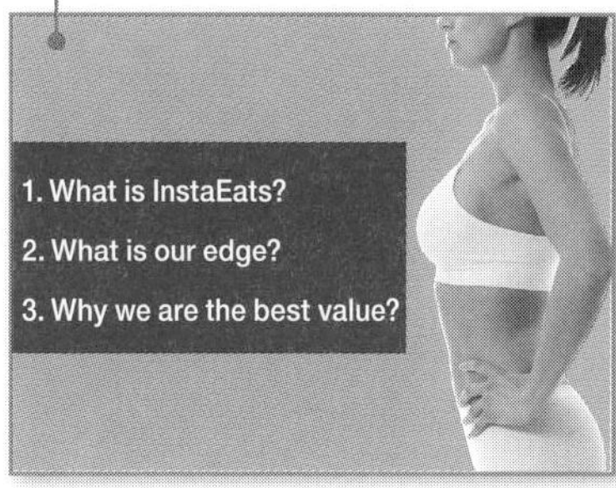

I have divided my presentation into 3 parts.
First, what is InstaEats?
Second, what is our edge?
Finally, why we are the best value?
Let's look now at the first point: what is InstaEats?

プレゼンは3つのパートに分かれています。
まず、InstaEatsとは何か？
第二に、私たちの強味は何か？
最後に、なぜ私たち（のサービス）には最高の価値があるのか？
最初のポイントを見てみましょう。
InstaEatsとは何か？

第2部 理解してもらう

047

スライド 4

What is InstaEats?

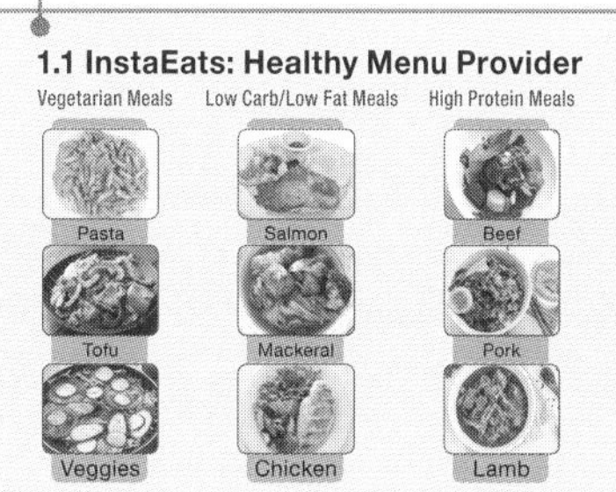

This menu shows that InstaEats is a healthy menu provider.
Here are the three healthy menu options: vegetarian meals, low carbohydrate and low fat meals, and finally, high protein meals.
The point I want to emphasize here is the wide variety of healthy menu options.
InstaEats is also easy to order from.
How easy? Let's check.

このメニューは、InstaEatsが健康的なメニューを提供していることを示しています。
健康的なメニューには3つの選択肢があります。
ベジタリアン、低炭水化物・低脂肪、そして最後に高タンパク質のメニューです。
ここで強調したいのは、さまざまな健康的なメニューの選択肢があることです。InstaEatsは注文も簡単です。どう簡単なのか？　チェックしましょう。

スライド 5

How does InstaEats works?

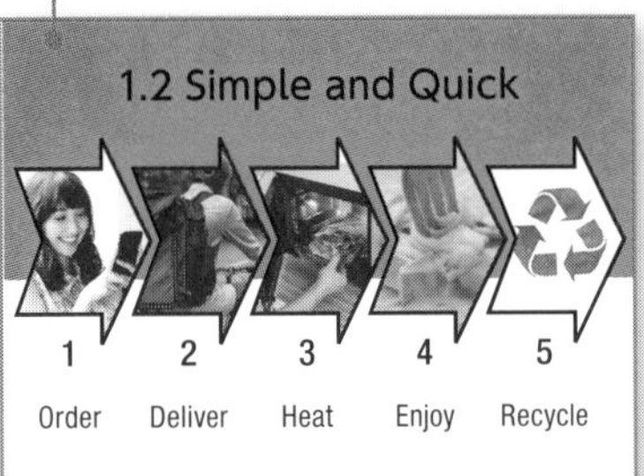

This flow chart shows the simple and quick ordering process. Here are the five steps from order to recycle. The point I want to emphasize is that we are convenient. We deliver anywhere in the Tokyo, Kawasaki, Yokohama area. Up to now, I have shown you that we are healthy and convenient. But is this a good investment? Is this a growing industry?

このフローチャートは、シンプルで迅速な注文のプロセスを示しています。ご注文から再利用までの5つのステップです。私が強調したいのは便利になる点です。東京・川崎・横浜エリアのどこでもお届けします。ここまでで、健康で便利なサービスであることを示してきました。しかし、これは良い投資先でしょうか？　これは成長産業なのでしょうか？

049

スライド 6

Why InstaEats is a good investment?

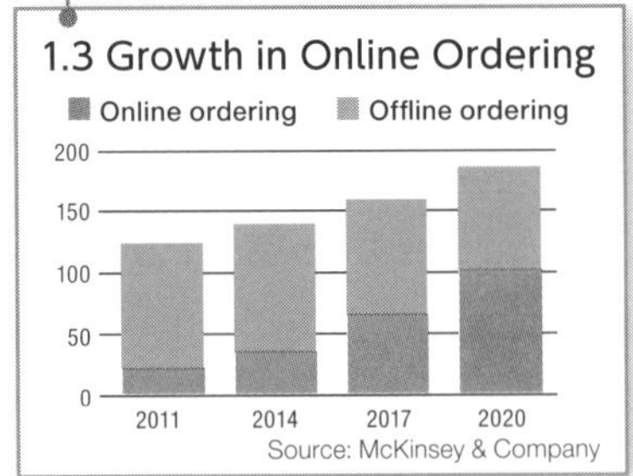

This bar chart shows the growth in online ordering. This is online ordering and this is offline ordering. This axis is money in billions of yen, and this axis is years. The key point here is that online ordering has passed offline ordering. It is a growing industry. But are we the best provider? Can we beat the competition?

この棒グラフは、オンライン注文の増加を示しています。こちらがオンラインでの注文で、こちらがオフラインでの注文です。この軸は10億円単位の金額で、この軸は年数です。ここで重要な点は、オンライン注文の数がオフライン注文の数を上回ったことです。まさに成長産業です。しかし、果たして私たちはベストな供給者なのでしょうか？　競合に勝てるのでしょうか？

第3部 同意してもらう

050

スライド7

InstaEats competitors

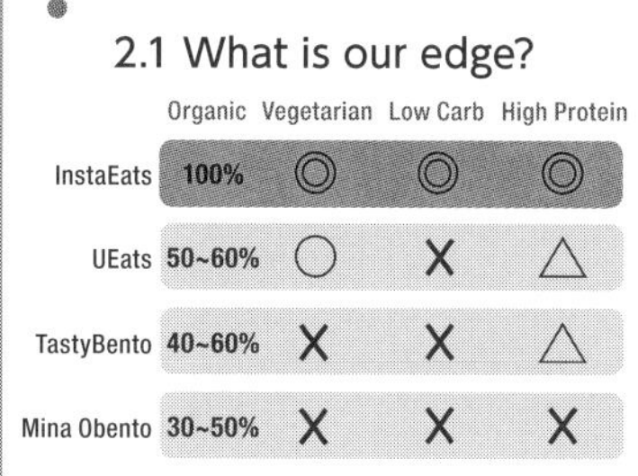

2.1 What is our edge?

	Organic	Vegetarian	Low Carb	High Protein
InstaEats	100%	◎	◎	◎
UEats	50~60%	○	X	△
TastyBento	40~60%	X	X	△
Mina Obento	30~50%	X	X	X

This comparison chart shows our competitive edge. Here is InstaEats and our three main competitors. And at the top, this is our competitive edge. We are the only provider that is 100% organic, and the only provider that offers vegetarian, low carb, and high protein meals! So, I hope you agree that InstaEats is competitive in these areas. But, I am sure you still have concerns, for example about price.

この比較表は当社の競争力を示しています。こちらがInstaEatsと3つの主要な競合他社です。そして、一番上にあるのが私たちの競争力です。100%オーガニックの唯一の供給者であり、ベジタリアン、低炭水化物、高タンパク質の食事唯一提供しています！ InstaEatsがこの分野で競争力があることに同意していただければ幸いです。しかし、みなさんには価格などについてまだ懸念があることでしょう。

第4部 弱点をフォローする

051

スライド8

真っ黒なスライド

As you have seen, it is true that we provide the highest quality food. But it is also true that this affects price. We are slightly more expensive than our competitors.
But please consider this:

これまで見てきたように、事実、私たちは最高品質の料理を提供しています。しかし、それが価格に反映してしまうことも事実です。私たち（のサービス）は競合他社よりも少々高価です。しかし、これを考慮してみてください。

052

This slide shows why we are still the best value. We offer a monthly subscription service. When you buy 10 meals you get 2 meals free. That is a savings of 20%. Save money, be healthy!

In conclusion,...

このスライドは、なぜ私たちにはそれでも最高の価値があるかを示しています。私たちは月額のサブスクリプション・サービスを提供しています。10回分の食事を購入すると、2回分が無料になります。これは20%の節約になります。お金を節約し、健康になりましょう！

結論としましては……。

第5部 クロージング

053

スライド9

結論

Our topic today was: Ordering from InstaEats Delivery Service to promote health and convenience.

Regarding what is InstaEats, please remember we are a healthy menu provider.

Regarding what is our edge, please remember we are the only provider that is 100% organic.

Regarding why we are the best value, please remember our monthly subscription service will save you 20%.

Thank you for your attention!
Are there any questions?

今日のトピックは、InstaEatsのデリバリー・サービスに注文して健康と利便性を促進することでした。

InstaEatsとは何者かに関しては、健康的なメニューをご用意している供給者であると覚えておいてください。

私たちの強味に関しては、100%オーガニックを唯一提供していることを覚えておいてください。

私たちに最高の価値がある理由に関しては、月額のサブスクリプション・サービスを使うと20%節約できることを覚えておいてください。

ご清聴ありがとうございました！　ご質問はありますか？

第2章のまとめ

第３章の「フィジカル・メッセージ」に進む前に、この章でカバーした内容をクイズ形式で簡単に復習しましょう。

1	効果的なビジュアルを作成するための基本３原則を覚えていますか？（わからない人は p.108）	○	×
2	KISS が何を意味するか覚えていますか？（→ p.110）	○	×
3	「5 の法則」によるとスライドに含めることができる単語の最大数はいくつでしょうか？（→ p.110）	16	25
4	ビジュアル作成の基本３原則のうちどれが最も重要ですか？　またその理由は？（→ p.111）	1・2・3	
5	セリフ (Serif) が何だかわかりますか？（→ p.113）	○	×
6	プレゼンに適した書体を２つ挙げることができますか？（→ p.114）	○	×
7	「フォントの階層性」とは何だかわかりますか？（→ p.114）	○	×
8	効果的なビジュアルを作成するのにグラフィック・デザイナーの才能は必要ですか？（→ p.124）	○	×
9	IEIT が何を意味するか覚えていますか？（→ p.139）	○	×
10	トランジションのタイプはいくつありましたか？（→ p.150）	2	12

The Physical

第3章

フィジカル・メッセージ

第3章でわかるプレゼンのスキル

1. 姿勢
2. アイ・コンタクト
3. ジェスチャー＋声の出し方
4. 声の大きさ
5. 流暢さ

Message

The body never lies.

体は決して嘘をつかない。

——Martha Graham マーサ・グラハム（ダンサー）——

Your body is always talking to the audience.

あなたの体は常に聴衆に語りかけている。

—— Power Presentation パワー・プレゼンテーション ——

フィジカル・メッセージとは？

まずはフィジカル・メッセージあるいはボディ・ランゲージに関する簡単なクイズから始めましょう。

1	ボディ・ランゲージはプレゼンの言葉数を減らし、簡略化することができます。	○	×
2	プレゼンにおけるボディ・ランゲージは、すべての国の文化で同じわけではありません	○	×
3	フィジカル・メッセージを上達させるコツは練習あるのみ。	○	×
4	ボディ・ランゲージのせいで、緊張していることが露見してしまうプレゼンターは多い。	○	×
5	聞き手が容易についていけるようにプレゼンの「概要」を話して流れを説明します。聞き手、特に忙しい幹部はどこに向かうのかを知らないと、プレゼンを聞きたがりません。	○	×
6	ポジティブなボディ・ランゲージは、プレゼンの冒頭で好印象を得るのに役立ちます。	○	×

フィジカル・メッセージを構成する5つのスキル

ここでフィジカル・メッセージに関するインタビューを読んでいただきます。下記のインタビューを読んで、5つのスキルがどの特徴と結びつくか、右の空欄にチェックを入れてください。最初のスキルは、あなたのために答えておきました。

スキル	自信	ペース配分	熱意
Posture（姿勢）	☑	☐	☐
Eye Contact（アイ・コンタクト）	☐	☐	☐
Expression（表現力）	☐	☐	☐
Loudness（声の大きさ）	☐	☐	☐
Smoothness（流暢さ）	☐	☐	☐

ここでは、インタビュー形式でフィジカル・メッセージについて解説します。

インタビュアー：ビジネス・イングリッシュへようこそ！　あなたの新刊『英語プレゼン 最強の教科書』の刊行おめでとうございます！

Charles LeBeau：ありがとうございます！　ここに来られてよかったです。

I：この本ではあなたが「プレゼンの4つのメッセージ」と呼んでいるものを扱っていますね。今日は4つのメッセージの中から、フィジカル・メッセージあるいはボディ・ランゲージに焦点を当ててみましょう。

CL：いいですね！　この本ではフィジカル・メッセージを5つのスキルに分類しました。

I：その5つとは？

CL：姿勢（Posture)、アイ・コンタクト（Eye contact)、表現力（Expression)、声の大きさ（Loudness)、流暢さ（Smoothness）です。

I：OK。それでは、それぞれについて見ていきましょう。まずは姿勢(Posture)から。なぜそれがプレゼンターにとって重要なのですか？　特に非ネイティブのプレゼンターにとって。

CL：姿勢とは、私たちがプレゼンのときどのように立ち、自分自身をどう位置付けるかという問題です。

I：なぜ姿勢が重要なのでしょう？

CL：姿勢は自信をもつためのカギであり、ポジティブなフィジカル・メッセージの基礎となるものだからです。プレゼンのときの姿勢が良いと自信にあふれ、準備が十分できているように見えます。一部の調査では自信があるように振る舞うことで、本当に自信がついてくるとも言われています（訳注：p174のTED動画参照）。一方、姿勢が悪いと緊張しているように見えますし、ネガティブなメッセージが聞き手に伝わってしまいます。

I：なるほど。次のスキルはどうですか？

CL：アイ・コンタクト（Eye contact）ですね。聞き手1人一人と目を合わせることは、聞き手のことを尊重している態度につながります。自分が話すトピックに自信がある場合や話す内容をよく理解している場合のほうが当然、聞き手とのアイ・コンタクトもしやすくなります。逆に、自分が話す内容をあまり理解しておらず、聞き手ではなく、画面のほうを何度もチラチラ見ていると「この人はあまりトピックを理解していないんだな」と思われてしまいます。また、アイ・コンタクトはペース配分を測る上でも重要です。

I：ペース配分がアイ・コンタクトとどう関係してくるのですか？

CL：はい。聞き手とアイ・コンタクトを頻繁に取っていれば、進行が遅過ぎたり速過ぎたりしている場合、聞き手の顔から察することができます。彼らが退屈そうに見えたなら、スピードアップする必要がありますし、混乱しているように見えたなら、スピードを落とさなければなりません。

I：なるほど。3つ目の表現力（Expression）についてはどうですか？

CL：フィジカル・メッセージにおける表現力とはつまり、ジェスチャーと声の出し方の2つを意味します。その2つは、プレゼンに変化とアクションをもたらします。プレゼンではジェスチャーと声の出し方こそが熱意や活力の源です。日本のプレゼンターにとって一番の苦手分野かもしれません。日本人によるプレゼンはしばしば熱意や活力が不足しています。

I：確かに。国際会議の場で「日本人の発表は退屈だ」という評判をしばしば耳にしますね。

CL：そうですね……。次は声の大きさ（Loudness）です。声の大きさと言っても聴衆に向かって叫べばいいわけではありません。日常会話で話す声とは別の、プレゼン用の声を準備して実践しましょう、という意味です。これは多くの日本人にとって特に重要です。普段お使いの声ではなく、部屋を満たすボリュームのプレゼン用の声を練習する必要があります。

I：声の大きさもプレゼンの熱意を評価する際、重要な項目ですよね？

CL：そのとおりです。プレゼンの声が大きいと、聴衆を目覚めさせ、プレゼンに集中してもらうことができますし、声の大きさは自信にもつながります。プレゼンの声がちょうどいい大きさであれば、話し手は聴衆を恐れずに話し、経験豊富で自信のある人という印象を与えられますからね。

I：そして、最後の項目は「流暢さ」（Smoothness）ですね。

CL：はい。これに関しては多くの誤解があります。流暢さというと、多くのほうが英語がペラペラ話せることだと誤解します。しかし、ここで言う流暢さとは、あくまでプレゼンに関してです。つまり、自分が用意したスライドごとに何を言いたいのか、どのように伝えるかをきちんと準備して把握しているか否かということです。事前の準備ができていれば、自分が伝えたいメッセージの内容をいちいち立ち止まって考え直す必要はありません。各スライドが何を示すかをすでに知っているはずだからです。IEIT（紹介・説明・解釈・トランジション）テクニックを使って、スライドを説明しましょう。

I：なるほど……。いやぁ、それにしても覚えることがたくさんですね。

CL：はい、しかし簡単な覚えほうがあります。フィジカル・メッセージ（ボディ・ランゲージ）にとって重要なSとは……？

I：Smoothness（流暢さ）でした。

CL：Lは……？

I：Loudness（声の大きさ）です。

CL：Eは……？

I：Expression（表現力）。

CL：そしてもう1つのEは……？

I：Eye contact（アイ・コンタクト）。

CL & I：最後はPでPosture（姿勢）ですね！

CL：5つの頭文字を取ってSLEEPです。ですからこの流暢さ（Smoothness）、声の大きさ（Loudness）、表現力（Expression）、アイ・コンタクト（Eye contact）、姿勢（Posture）の5つを覚えておいてください。これらをフルに活用して、聞き手を眠り（sleep）から目覚めさせ、プレゼンに集中してもらいましょう！

自信のあるボディーランゲージと姿勢がどのようにして実際の自信と結びつくかは、社会心理学者のエイミー・カディによるTEDトークをご覧ください。

エイミー・カディ
「ボディランゲージが人を作る」

それではフィジカル・メッセージ（ボディ・ランゲージ）を構成する5つのスキルについて詳しく見ていきましょう。

スキル 1 姿勢

すべては姿勢から始まります。姿勢こそ、フィジカル・メッセージを構築するための基盤です。強力な基盤があればフィジカル・メッセージは前向きで自信に満ちたものになります。基盤が弱いと、準備不足で緊張しているように見えてしまいます。

ここで強調すべき重要な点は、プレゼンはスポーツのような身体活動だということです。すべてのアスリートは姿勢の重要性を知っています。各スポーツにはそのスポーツ固有の姿勢があり、各アスリートにも固有の姿勢があります。例えばバッター・ボックスの中のイチローの姿勢やスタンスをご存知ですか？　バットの先を投手に向け、バットを振り、ユニフォームの右袖を引っ張って、スイングする前に右脚を持ち上げるというのがイチローのお決まりの手順です。これこそがイチローを成功に導いた姿勢です。バスケットボールの場合、各NBAプレーヤーは、フリースローをシュートする前に独自の決まった姿勢とルーティーンをもっています。シュート前に2回ボールをバウンドさせるプレーヤーもいれば、3回ボールをバウンドさせるプレーヤーもいます。自分と対話する人もいれば、話さない人もいます。マイケル・ジョーダンはフリースローを放つ姿勢が良かったので、目を閉じていてもシュートを決めることができました。フリースローのラインでの彼の姿勢が彼を成功に導いたのです。

プレゼンの姿勢に最も似ているのはゴルフの姿勢です。ゴルファーのスイングを考えてみてください。まず両足は肩幅とほぼ同じだけ開き、どっしりっと構えて立ちます（写真：❶）。

次に手は腰の高さくらいの前に置き、ゴルフクラブを握ります（写真：❷）。

次はアイ・コンタクトです。ゴルファーはどこを見ていますか？　最も重要な点、即ちゴルフボールですね（写真：❸）。

最後に、クラブを持ち上げて構えた後、一気に振り下げ、フェアウェイに向けてボールを強打します（写真：❹）。

それではゴルフの姿勢とプレゼンの姿勢を比較してみましょう。

❶

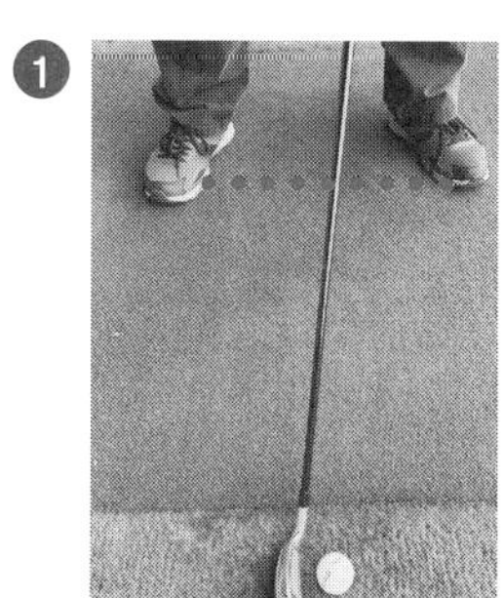

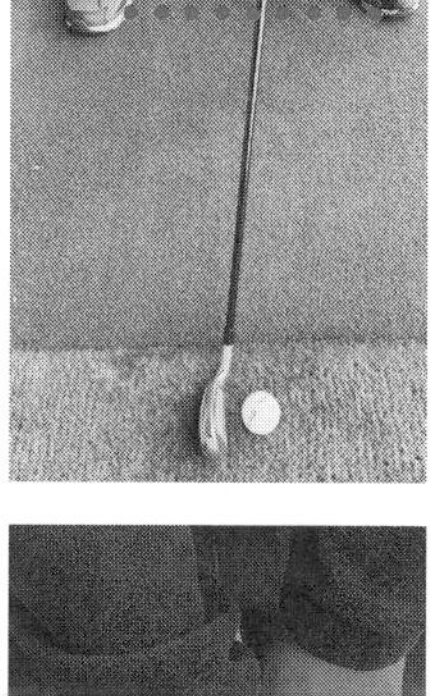

❷

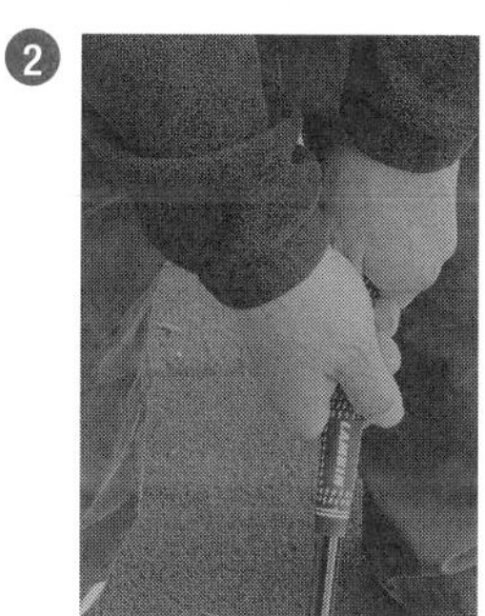

❸

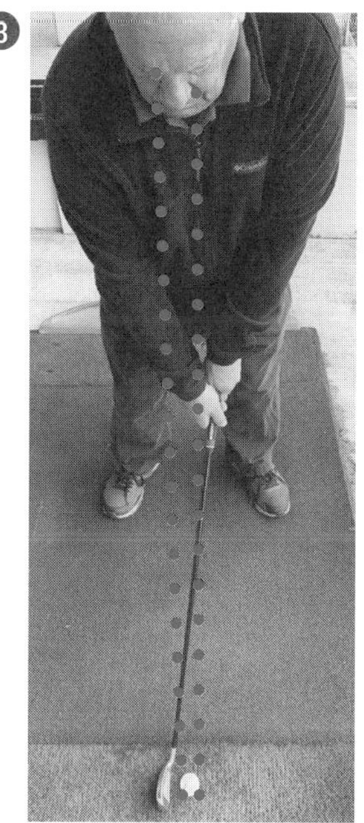

❹

ステップ 1 足をセットする

プレゼンの姿勢も足のセットから始まります。ゴルフの場合と同様、足を肩幅に合わせ、どっしり構えて立ちます。足をピタリとつけて話す一般的に日本でフォーマルとされる姿勢とは大きく異なりますので注意してください。

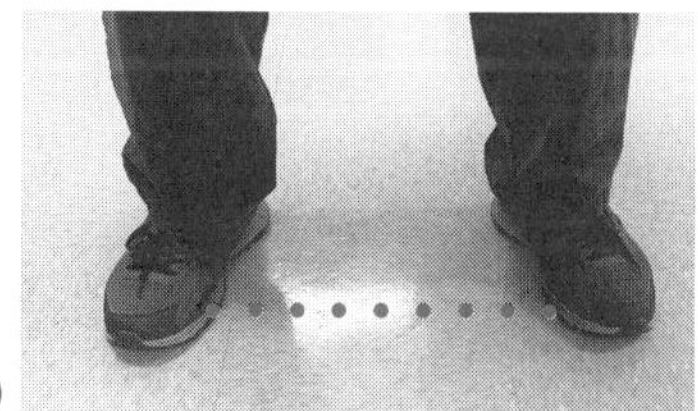

❺

ステップ 2 手をセットする

次に手の位置です。プレゼンの場合、ゴルフと違って握りしめるゴルフクラブはありません。では、手はどこに置きますか？　ここに落とし穴があります。手が自由になっているとき、プレゼンターの神経質な癖が手に表れることが多いです。ポケットに手を入れて、こねくり回すプレゼンターもいます（写真：❻）。手を後ろに組むプレゼンターもいます。これはシャイな性格か、何かを隠していることを示すボディ・ランゲージです（写真：❼）。ペンを回すプレゼンターもいます。これは気が散りますし、プレゼンターが緊張していることの表れです（写真：❽）。日本のプレゼンターで一番多い癖は、プレゼンを始める前にポインターを使って遊ぶことです！（写真：❾）

❻

❼

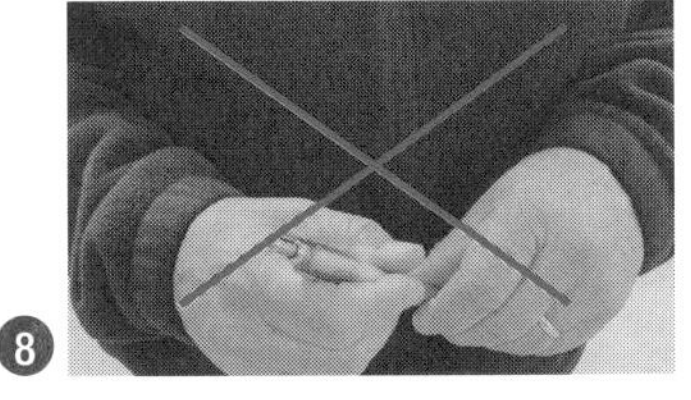
❽

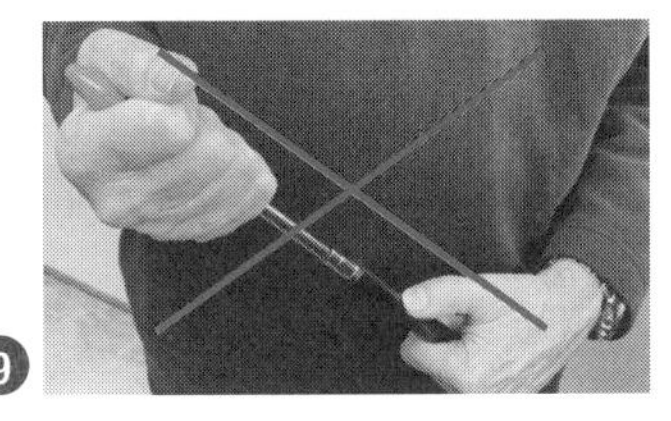
❾

こういった悪癖はすべて緊張の表れです。聞き手はこれを自信と経験の欠如として受け取るでしょうから、やめましょう。それでは手はどうしましょう？　手に明確な役割を与えなければなりません。写真のように腰の高さの少し下で両手を組みましょう（写真：❿）。

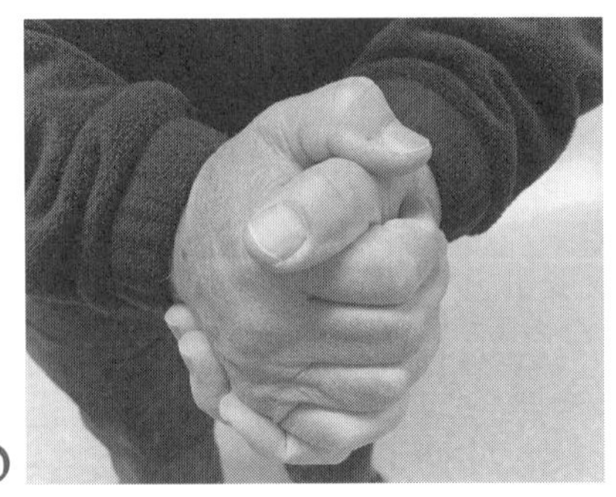
❿

NHK や CNN レポーターが立っているのを注意深く観察すると、腰の高さで手を組み、手でジェスチャーした後、再び手を同じ位置に戻す所作をしているのに気づくでしょう。この腰の高さで手を握る位置は、手にとって、ジェスチャー前後の一種のホームベースとなります。

ステップ 3 アイ・コンタクトを取る

次にアイ・コンタクトです。ゴルフの場合、ターゲットはボールです。ゴルファーはスイングをする前にボールとアイ・コンタクトを取らなければなりません。プレゼンの場合、ターゲットは聞き手です。ですから、プレゼンの前に聞き手と十分なアイ・コンタクトを取る必要があります。ゴルファーがショットする前にボールに意識を集中するのと同様に、話し始める前に約 3 秒間、聞き手を見ながら集中するように私は実際受講者に勧めています（写真：⓫）。

⓫

ステップ 4 プレゼン用の声で話す

最後に、日常会話の声ではなく「プレゼン用の声」で話し始めましょう。ちょうどゴルファーがティーからパワフルなショットを放つように、パワフルに開始し、大声で自信に満ちたプレゼン用の声を使います。そうすることで、聞き手に向かって明確なメッセージを投影しましょう（写真：⓬）。

⓬

! 良い第一印象を作ろう！

プレゼンターの第一印象は重要です。ストーリー・メッセージの第 1 部で解説した「1 分間ルール」（p.16）を覚えていますか？　聞き手の注意を引くのに 1 分ほどかかりますが、プレゼンの冒頭からフィジカル・メッセージが拙いと、聞き手の関心をあっという間に消し去ってしまいます。国際社会において日本のプレゼンターはプレゼンが拙いと悪名高いです（ただし、これは徐々に変化していっています）。プレゼンの開始時に、自信をもって経験豊富なプレゼンターであることを、ボディ・ランゲージを駆使して伝えましょう。実際、話し始める前から勝負は始まっているのです！　ここにボディ・ランゲージの手順を示します。

▶第一印象を良くするための4つのステップ

プレゼンの冒頭から好印象を得るために、次の４つのステップを練習してください。鏡の前で（全身鏡が最適ですが、浴室の鏡でも大丈夫です）、４つの手順を練習しましょう。

ステップ 1 足をセットする

肩を後ろに向けてまっすぐに砂を払います。足を肩幅ぐらい開きます（p.175 の写真：❺）。

ステップ 2 手をセットする

プレゼンの開始ときは手に何ももっていません。手を腰より少し下に置きます（p.176 の写真：❿）。

ステップ 3 アイ・コンタクトを取る

鏡の中の人物と約３秒間アイコンタクトを取ります（p.177 の写真：⓫）。

ステップ 4 プレゼン用の声で話す

「プレゼン用の声」を使って、鏡の前で架空の聞き手に話しかけます（p.177 の写真：⓬）。聞き手に軽くあいさつするだけでもいいですし、第１部（p.21）で解説した次の一連の流れを練習してもよいでしょう。

1. あいさつをする
2. 名前を言う
3. キーパーソンに感謝する
4. プロットを提示する

自然で快適にこなせるようになるまで、ステップ1～4をくり返して好印象を与えられるように練習しましょう。私は受講者に毎朝鏡の前で30日間練習するように言います。あなたもぜひ同じように挑戦してみてください！

スキル 2 アイ・コンタクト

アメリカのロックスター、ブルース・スプリングスティーンは聴衆、それも大勢の聴衆とつながることで有名です。彼は聴衆の中から何人かを選び、彼らとアイ・コンタクトを取り、そして彼らに向けて歌います。彼の手法を見習って、あなたも聴衆の中から何人か選び、個人に向けて話す必要があります。大人数のグループに向けて話していても、アイ・コンタクトを取ることで、プレゼンを個人的なものに変えることができます。これを行う方法は次のとおりです。

▶効果的なアイ・コンタクトを取るための3つのステップ

効果的なアイ・コンタクトは次の3つのステップで構成されています。

ステップ 1 キャッチする (Catch)

特定の誰かの目をキャッチしましょう。

ステップ 2 ホールドする (Hold)

あなたがその特定の誰かに向けて話していることが当人たちにも伝わるぐらい、彼らの目を十分に長く見つめて（ホールド）してください。

ステップ 3 リリースする (Release)

アイ・コンタクトを解放し、次の人に進みます。

▶アイ・コンタクトを練習するには？

静かなリビングや寝室で、次の手順でくり返し練習しましょう。

1. 姿勢を整えましょう。
2. 手をセットしてください。
3. あなたの前に並んでいる8人の観客が、あなたが話すのを熱望していると想像してください。
4. 右側の架空の人物から始め、その人物とアイコンタクトを取り、プレゼン用の声で「キャッチ、ホールド、リリース」と言います。次の人に視線を移動して再び「キャッチ、ホールド、リリース」などと言って、8人全員に行います。
5. 短い自己紹介をしながら同じプロセスをくり返します。 架空の8人の観客の顔を順に見ながらそれぞれの目を約3秒間見ていることを確認しましょう。

Column

大勢の観客とアイ・コンタクトを取るには？

数年前、IBM Japan プレゼン・セミナーにはいつも8人の受講者が参加していました。p.179で紹介したアイ・コンタクトの練習法を実践した後（この場合は架空ではなく実在の人々の前で練習しました！）、大勢の観客とアイ・コンタクトを取る方法について質問する受講者もいました。彼らはIBMアジア太平洋会議でよく発表しており、会場が収容人数の多い講堂となることが多かったのです。

そういう場合、私は会場を十字に4等分して、右手前・右奥・左奥・左手前の4つのゾーンに分割するようにアドバイスしています（左図参照）。右手前の正方形（❶）から始めて、聴衆の顔をスキャンするように見ていきましょう。最前列に座っているのは誰ですか？　観客のほとんどは前のほ

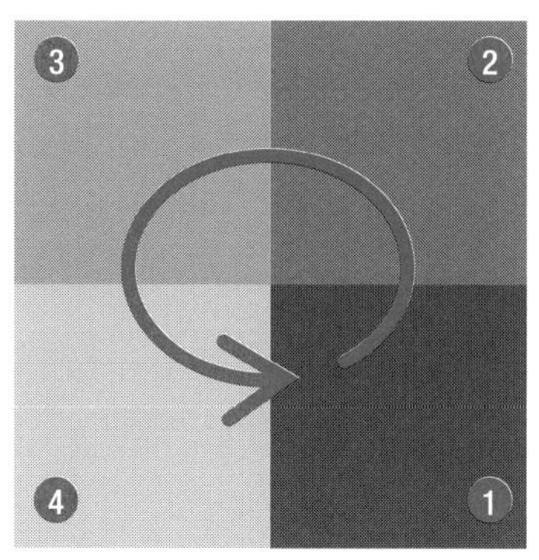

会場全体を右手前・右奥・左奥・左手前の4つに分けて、順にアイ・コンタクトを取っていこう。

うに詰めて座っていますか、それとも後ろの列に座っていますか？　この右手前のゾーンの中にVIPはいますか？

次に、右奥のゾーン（❷）をスキャンするように見ていきます。誰がそこに座っていますか？　VIPはいますか？　彼らはプレゼンに興味ありそうですか？　彼らは雑談していますか、それともあなたの発表に集中していますか？

今度は左奥のゾーン（❸）に視線を移動します。誰がそこに座っていますか？　誰が興味をもっており、誰が退屈そうですか？　VIPはいますか？

最後に左手前のゾーン（❹）をスキャンするように見ていきます。最前列の誰が話に興味がありそうですか？　後ろに何人いますか？　VIPはいますか？　それから再び右手前のゾーンに戻って同様の工程をくり返します。

特にVIPが会場に来ている場合は、座っている席を特定して注意を払う必要があるかもしれません。また、友達はどこに座っていますか？　ぜひ友人にもひと肌脱いでもらいましょう。私の場合、発表時間が残り5分になったら、観客席にいる友人に手を軽く握って合図をしてもらい、時間どおり、確実にプレゼンが終了できるように工夫しています。

スキル 3 表現力

表情豊かな表現力は多くの日本人プレゼンターの苦手分野なので私の講習でも多くの時間を割きます。p.172 で述べたようにジェスチャーと声の出し方はどちらも豊かな表現力につながります。ジェスチャーから見ていきましょう。

表現力 1 ジェスチャー

私は長年にわたって次のような受講者の声をたくさん聞いてきました。「ジェスチャーは苦手ですね。だって不自然ですから」。このような場合、受講者はたつてい 2 つのタイプに分かれます。1 つがまったくジェスチャーを使わないのでガチガチでぎこちなく見えるタイプ。もう 1 つが、極端な例ですが、腕を常に振ってデタラメに動くタイプです。そうではなく、伝えたいメッセージをサポートするという意味のあるやり方で、適切なタイミングでジェスチャーを使いたいですよね。しかし、どんなジェスチャーをどのタイミングで使えば効果的なのでしょうか？　ここでは 4 種類のジェスチャーと、それを使用する適切なタイミングを解説します。

タイプ 1 数値や順序を表すジェスチャー

プレゼンでは数値が重要です。数値を口頭で伝えると、聞き手は忘れてしまうかもしれません。しかし、ジェスチャーで数値を示すと聞き手は耳と目の両方で数値を確かめられますし、その分、忘れる可能性も低くなります。

このジェスチャーを使うタイミングとしては、第 1 部のオープニングで、概要の主要ポイントを紹介するときに、順序を表すジェスチャーが使えます。ポインターを使用している場合でも、空いているほうの手でジェスチャーをしましょう。中盤の第 2 ～ 4 部のパートでは、特にプレゼンする内容にステップのある手順が含まれている場合は、ジェスチャーで示すことで数値を印象的にすることができます。第 5 部のクロージングでは、主要ポイントを確認しながら、順序を示すジェスチャーを再び使うことができます。例をいくつか示しましょう。

1. I divided my presentation into 3 points.

プレゼンを3つのポイントに分けました。

2. My first point is...

第1のポイントは……。

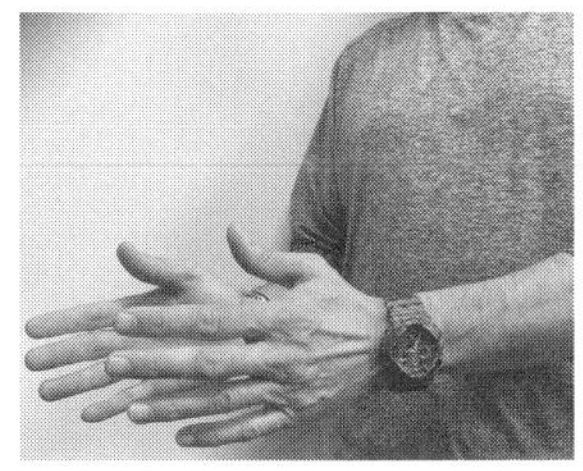

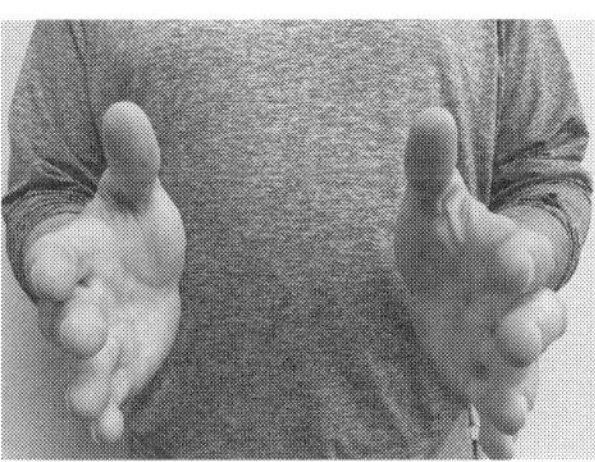

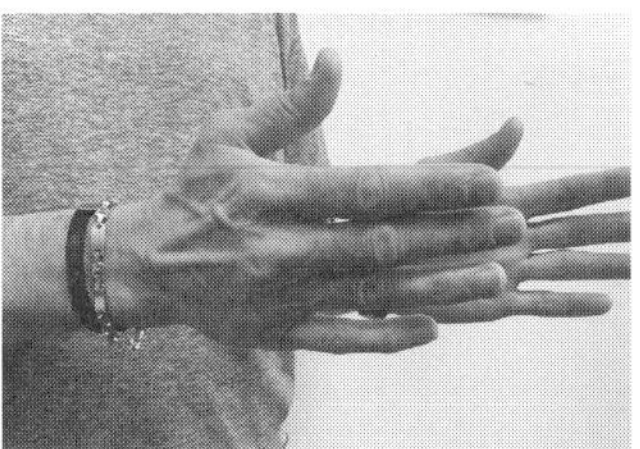

3. In phase one...in phase two...and in phase three...

第1の局面、第2の局面、そして第3の局面ですが……。

数字/順序のジェスチャーの詳細についてはこのシンプルでためになるスピーチ動画（Informative Speech）の最初の1分を見て、Lisa Suzukiがジェスチャーをプレゼンの概要の中でどのように活用しているかを確認してください。
（https://www.youtube.com/watch?v=CZmmQ8yb5UU）

タイプ 2 強調するジェスチャー

プレゼン全体を通して聞き手に覚えておいてもらいたいキーワードや数値がある場合があります。 ジェスチャーを使ってそれらのキーワードや数値を強調すると、インパクトが大きくなり、聞き手が覚えやすくなります。

これらのジェスチャーを使うタイミングは、例えば IEIT（紹介・説明・解説・トランジション）テクニック（p.139）を使ってスライドについて解説しているときでもいいでしょう。特にステップ 3 でスライドを解釈している場合（p.147）、ジェスチャーを使うことでスライドの中の重要なポイントを強調することができます。 例をいくつか示しましょう。

1. The point I want to emphasize is...
強調したい点は……。

2. The key point is...
重要なポイントは……。

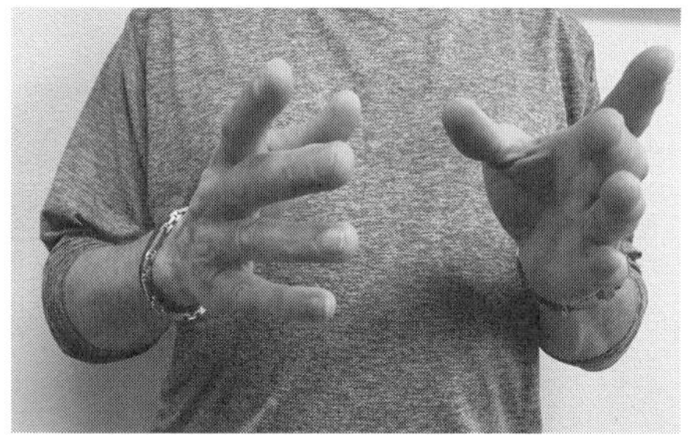

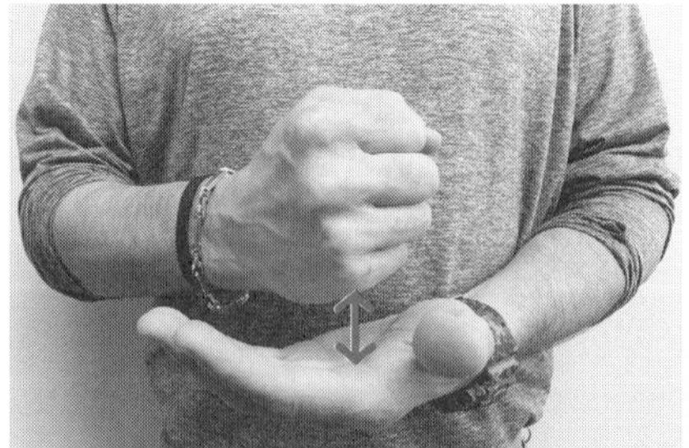

3. The point to remember is...
覚えておくべきポイントは……。

タイプ3 説明するジェスチャー

多くの場合、口で説明するよりビジュアルで示したほうが簡単です。私はかつてブルドーザーメーカーのコマツでセミナーを行ったことがあります。彼らは2つの操作レバーを備えたユニークなブルドーザーを作りました（ほとんどのブルドーザーには1つしか操作レバーがありませんでした）。ジェスチャーを使って操作レバーの動作を表す方法についてプレゼンターと協議しました。操作方法を言葉で説明するより、ジェスチャーで表すほうがはるかに簡単でした。東芝の別のケースでは、インドの巨大企業であるTadaへの技術移転について、英語があまり堪能ではないプロセスエンジニアや生産ラインで働く従業員と協力して進めました。私たちは東芝の従業員に実際に製造ラインに出向いてプレゼンを行ってもらい、英語をほとんど使わずジェスチャーで各ステップの実行方法について具体的に説明することができました。

このジェスチャーを使うタイミングは、プロットの「内容・理由・方法」を説明する必要がある中盤の第2部がよいでしょう。特に「方法」、つまり製品・サービス・提案がどう機能するかを説明するときが、このタイプのジェスチャーを使う絶好の機会です。例をいくつか挙げます。

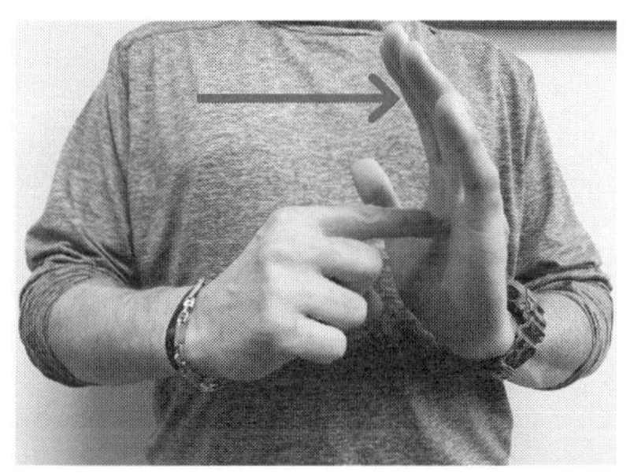

1. Turn it on like this.
このようにスイッチをオンにします。

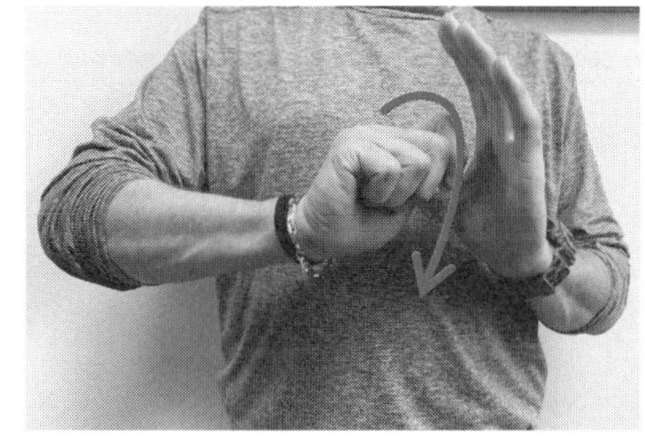

2. Adjust it like this.
このように調整します。

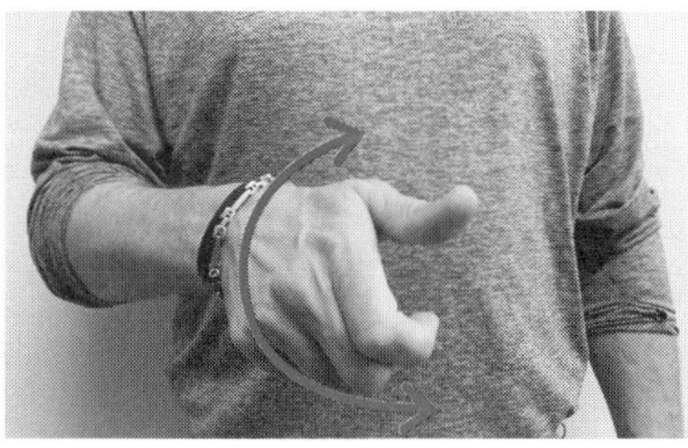

3. Twist it like this.
このようにひねります。

タイプ 4 比較するジェスチャー

プレゼンにおいて「比較すること」は強力なツールです。例えば、今年と昨年の売上を比較したり、予想収益と実際の収益を比較したりします。また計画したスケジュールと実際のスケジュールを比較したり、新製品と旧製品を比較したり、従来の技術と新技術を比較したりもします。このタイプのジェスチャーを使用するタイミングとしては、「比較する」戦略について解説したストーリー・メッセージの章の第 3 部を（p.62）思い出してください。 競合他社と比較することで強味をアピールし、ポイントを稼ぎます。比較のジェスチャーは、比較していることを聞き手に知らせ、比較のイメージをより明確にすることで、より大きなインパクトを残します。 例をいくつか示します。

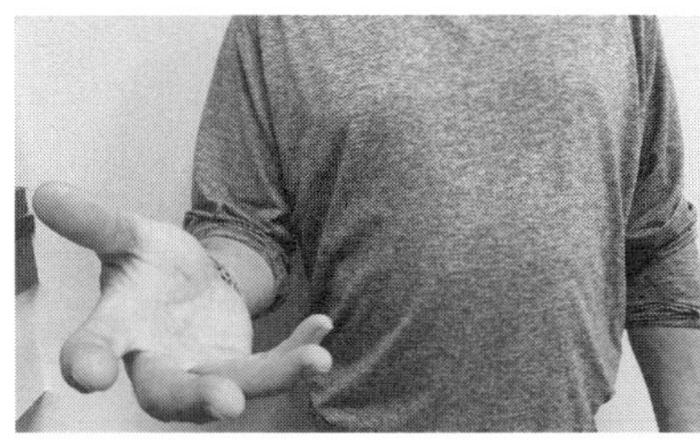
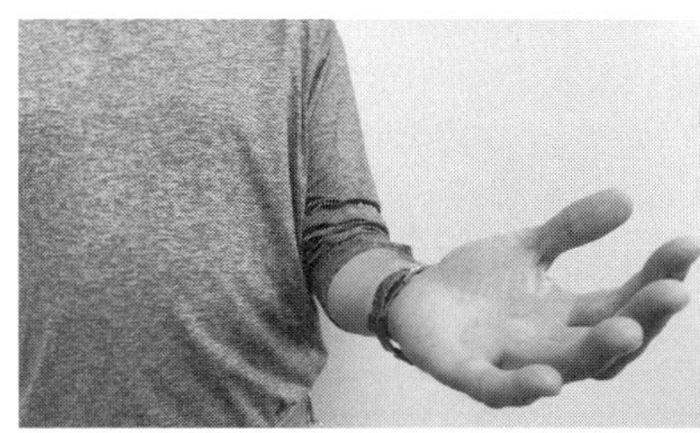

1. On the one hand is Company T...on the other hand is Company X.
   一方はT社です…他方はX社です。

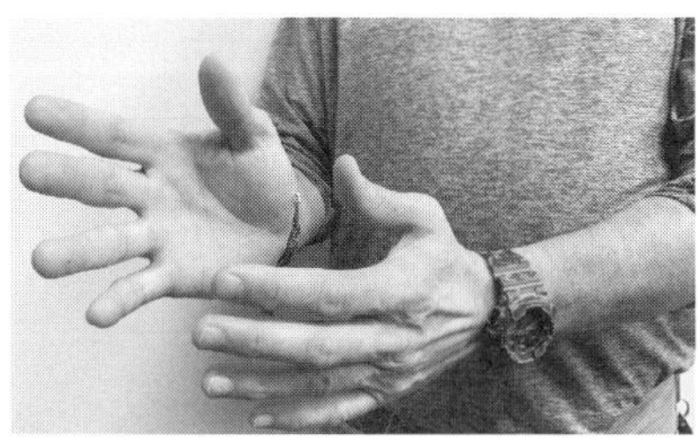
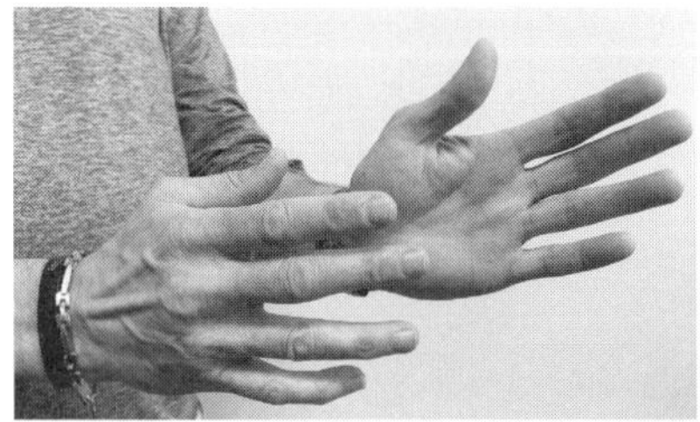

2. In the case of Japan...and in the case of China...
   日本の場合は……、中国の場合は……。

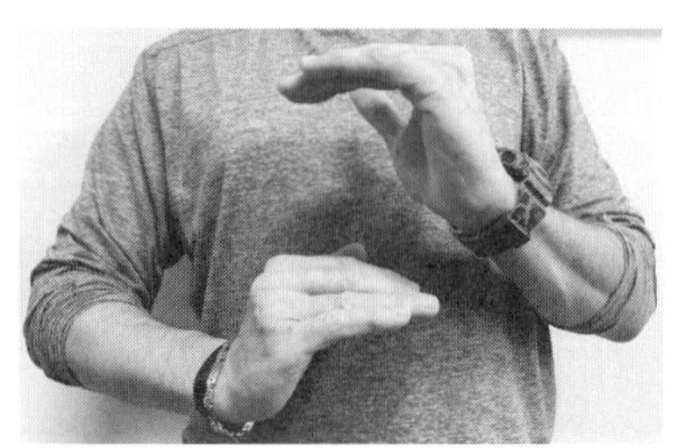

3. The iPhone Pro has higher resolution than the iPhone X.
   iPhone ProはiPhone Xよりも解像度が高くなっています。

ジェスチャー演習

ジェスチャーの演習は問題編と回答編の2つのパートに分かれています。

問題編 4種類のジェスチャーのどれが当てはまるか？

以下の記述を読んでください。各英文で使用されるジェスチャーを想像してみてください。数値や順序を表すジェスチャー、強調するジェスチャー、説明するジェスチャー、比較するジェスチャーのうちのどれを使用しますか？英文によっては複数のジェスチャーを使用する場合もあります。なお、下記に列挙したのは「マグロのサンドイッチを作る方法」についてのデモスピーチ動画（The Demonstration Speech）からの抜粋です。

1. A simple snack that is just packed with protein.
たんぱく質がたっぷり入ったシンプルなおやつ。

2. There are six simple steps.
6つの簡単な手順があります。

3. First, toast two pieces of fresh wheat bread.
まず焼きたての小麦パン2枚をトーストします。

4. Open the can of tuna.
ツナ（マグロ）の缶を開けます。

5. Cut one fresh, green cucumber into thin slices.
新鮮な緑のキュウリを薄切りにします。

6. Spread the tuna on the toast.
ツナをトーストにぬります。

7. Sprinkle with black pepper.
黒コショウを振りかけます。

8. Put the two pieces of bread together.
2つのパンを重ねます。

9. Cooking can be very dangerous.
調理は非常に危険である場合があります。

回答編 動画を見て確認してみよう！

QR コードから読み取ったリンク先の動画（The Demonstration Speech）を見て、あなたのジェスチャーと動画のプレゼンターのジェスチャーを比べてみてください。

「ツナのサンドイッチを作る方法」についてのデモストレーション動画

表現力 2 声の出し方

英語には **Variety is the spice of life.**（多様性は人生のスパイスです）なんていう言葉があります。つまり「多様性が物事を面白くする」という意味です。プレゼンでは、聞き手の関心を維持するために多様性が重要です。

プレゼン中に立ち位置を変えたり（スクリーン画面の右側に立つ場合もあれば、左側に立つ場合もある）、さまざまな人の顔を見てアイ・コンタクトを変えたり、数値や手順を示す・強調する・提示する・比較するなどといったさまざまなジェスチャーを交えたり、声を変化させる必要があったりします（声を活用するには、声に変化や抑揚をつける必要があります）。

声の変化のさせ方は、ジェスチャーの使い方とよく似ています。p.182 で解説したように、ジェスチャーを駆使して、私たちはキーワードやアイデアを強調し、注目を集めます。同様にプレゼンのキーワードや数値を強調するために声に変化をつけましょう。覚えておきたい教科書の主要な箇所に黄色のマーカーを引いて強調するのと同じように、ジェスチャーと声の変化の両方を駆使して、プレゼンで最も重要な部分を強調しましょう。声を変化させ、抑揚をつけるには、下記の3種類の簡単な方法があります。

1 強調する　Stressing

It's been a ***long*** time.

2 間を伸ばす　Stretching

It's been a ***looooong*** time.

3 ポーズを取る　Pausing

It's been a.................. ***long*** time.

▶強調するか、間を伸ばすか、ポーズを取るか

音声を聞いて、強調する(Stressing)、間をのばす(Stretching)、ポーズを取る(Pausing)のどの声の出し方をしているかチェックしましょう。

055

1. ☐ Stressing ☐ Stretching ☐ Pausing

The Olympics will not be postponed again.
オリンピックは再び延期されることはありません。

2. ☐ Stressing ☐ Stretching ☐ Pausing

The virus is a real danger.
ウイルスは本当に危険です。

3. ☐ Stressing ☐ Stretching ☐ Pausing

Over 8 million people ride the Tokyo subways everyday.
毎日800万人以上が東京の地下鉄に乗ります。

4. ☐ Stressing ☐ Stretching ☐ Pausing

The Ginza Line was the first subway in East Asia.
銀座線は東アジアで最初の地下鉄でした。

5. ☐ Stressing ☐ Stretching ☐ Pausing

Use a wide variety of gestures.
さまざまなジェスチャーを使用してください。

6. ☐ Stressing ☐ Stretching ☐ Pausing

The most important point is the wide range of functions.
最も重要な点は、幅広い機能です。

7. ☐ Stressing ☐ Stretching ☐ Pausing

Starbucks are ubiquitous!
スターバックスはどこにでもあります！

8. ☐ Stressing ☐ Stretching ☐ Pausing

Frapppuccinos are delicious!
フラペチーノはおいしい！

また4種類のジェスチャー（数値や順序、強調、説明、比較）を使うのに適したタイミングがあるように声の出し方の場合も下記のように5つの適切なタイミングがあります（声を変化させるキーワードに下線を引いています）。

056

1. 数値

Stressing	There are **three** reasons.
Stretching	We offer **77** different models.
Pausing	Over **1 billion** people live in China.

3つの理由があります。／77種類のモデルを提供しています。／10億人以上が中国に住んでいます。

2. 動詞

Stressing	We have **cut** prices.
Stretching	We have **raised** quality.
Pausing	We are **announcing** a new phone today.

値下げしました。／品質を高めています。／今日、新しい電話を発表します。

3. 修飾語（形容詞や副詞）

Stressing	We are **still** offering the lowest price.
Stretching	The market is **slowly** increasing year by year.
Pausing	We can **quickly** respond to any problem.

私たちはいまだに最低価格を示しています。／市場は年々ゆっくりと増加しています。／どんな問題にも迅速に対応できます。

4. 比較

Stressing	We need **more** time for the new schedule.
Stretching	We have the **most** experienced staff.
Pausing	We have the **best** service.

新しいスケジュールにはもっと時間が必要です。／最も経験豊富なスタッフがいます。／最高のサービスを提供しています。

5. 否定的な言葉

Stressing	There is **no** budget for new projects this year.
Stretching	There is **no** way we can do that.
Pausing	We are **never** going to make that mistake again.

今年の新しいプロジェクトの予算はありません。／それを行う方法はありません。／私たちは二度とその間違いをするつもりはありません。

▶声の出し方を練習するには？

ツナのサンドイッチのデモンストレーションのスピーチに戻り、声の出し方に焦点を当てましょう。この演習も問題編と回答編の２つに分かれています。

問題編 声の出し方を工夫してみよう！

以下の英文をお読みください。それぞれの文で声をどのように変化させるかを想像してみてください。声を変化させるキーワードに下線を引いています。

1. A simple snack that is just **packed** with protein.
たんぱく質がたっぷり入った簡単なおやつ。

2. **First**, toast two pieces of fresh, wheat bread.
最初に、2つの新鮮な小麦パンをトーストします。

3. Be careful **not** to burn the toast.
トーストを焦がさないように注意してください。

4. **Spread** the tuna on the toast.
ツナをトーストにぬる。

5. Black pepper goes a **long**, **long** way.
黒コショウはとても役立ちます。

6. Cooking can be **very** dangerous.
調理は非常に危険です。

回答編 動画を見て確認してみよう！

次の動画（The Demonstration Speech）を見て、プレゼンターの声の変化のさせ方を自分の場合と比較してください。

「ツナのサンドイッチを作る方法」についてのデモストレーション動画

スキル4 声の大きさ

プレゼンでは、パワフルな声こそが、フィジカル・メッセージのエンジンとなります。プレゼンでパワフルな声を出すことができれば、ジェスチャーと声の出し方も自然に後からついてきますし、あなたは自信に満ちあふれ、より魅力的に見えることでしょう。姿勢もより自信あふれる感じに変わります。そしてプレゼンに注ぎ込むエネルギーが大ければ大きいほど、それだけ結果となって返ってきます。

私のこんな経験談があります。キャリアの早い段階で私はプレゼンに関する本（『Speaking of Speech』）を共同執筆し、この本は想像以上に大きな成功を収めました。本を売るためには会議やブックフェアで本のプロモーションやプレゼンを行う必要がありました。最初のプロモーションでは、部屋は満員ですべて立ち見で、廊下にまで人が並んでいました！　開始前は本当に緊張しました。「すばらしいプレゼンをしなければ本当に格好悪い。プレゼンについての本を書いておいて、その作者が悪いプレゼンの見本を披露しては本末転倒だ。そんなことでは本の売上も激減してしまう！」。その時、膝はガクガク震え、口は乾き、手も震えたのを今でも覚えています。しかし、私は自分のフィジカル・メッセージに多くのエネルギーを注ぎ、まずはプレゼン用のパワフルな声で話し始めることを決め、実行しました。その結果、緊張はほぐれ、プレゼンは大成功で、すばらしい結果を収めることができました。この経験談の教訓ですか？プレゼンとは、何よりも「身体的な経験」であると肝に銘じる必要があります。スポーツと同じで、身体を準備する必要があるのです。特に出だしには力を入れてください。

プレゼン中の「声の大きさ」を視覚的に捉えると、次のようになります。

● **Why You Should Start Strong!**

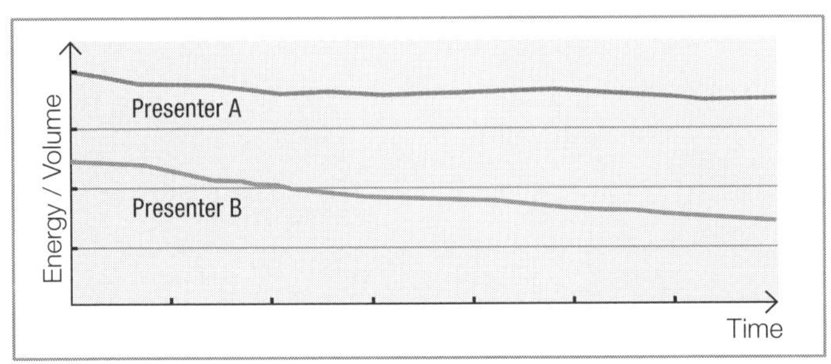

（あなたがパワフルに始めるべき理由）

このグラフは、プレゼンではパワフルな声から始めることの重要性を示しています。 縦軸は熱量や音量を示し、横軸は時間を示しています。プレゼンを長年見てきた経験から言わせていただくと、ほとんどのプレゼンターはプレゼンを進めるにつれて熱量を失っていきます。グラフのプレゼンターＡのように高い熱量をもって始めると、より高い熱量を保ったままプレゼンを終えることができます。一方、プレゼンターＢのように普段どおりの日常会話の声で始めてしまうと、次第に熱量がどんどん弱くなり、恐らくしまいにはエネルギーが足りなくなってしまうでしょう。 高い熱量で始め、高い熱量のままで締めくくりましょう。

▶プレゼンの声はどこから出すのか？

日常会話の声と、プレゼンを行う際の声とでは、声を生み出す体の部位がまるっきり異なります。日常の声は主に上半身、喉頭と呼ばれる部分で発生しています。のどからプレゼン用の声を出そうとすると、聴衆に向かって叫ぶような、緊張した音になってしまいます。そうなったら印象は最悪です！

一方、プレゼンの声は、腹筋と胃の横隔膜で生み出されます。サックスやクラリネットなどの管楽器を演奏する場合、「abs」と呼ばれる腹部の腹筋からパワーが生まれるのです。あなたが訓練を積んだ歌手であったり、コーラスで歌った経験があれば、声の力はあなたの腹の底から来ることをご存知でしょう。あなたの声は楽器です。そうなるよう開発するのです。練習してください。演奏方法を解説します。

ブロードウェイの俳優と一部の映画俳優は優れたプレゼン用の声を持っています。舞台俳優は、叫ぶことなく劇場全体に声を響かせる必要があるからです。三船敏郎のような日本の俳優は途方もないプレゼン用の声を持っています。私は日本人の受講者にも、プレゼンの声のカギを握るのは「腹」だと伝えています。あなたの腹とコンタクトを取り、腹を使ってぜひ魅力的なプレゼンの声を生み出してください！

▶大きい声を出す練習をするには？

プレゼン用の声を探り当てるには、次の簡単な方法を試してみてください。まずは日常会話の声を意識しましょう。 お腹に手を置いて **Hello, how are you?**（こんにちは、元気ですか？）と言ってみます。 横隔膜や腹筋を使わずに言ってみてください。 腹部はほとんど動かないか、まったく動かないはずです。

次に、プレゼン用の声を意識します。 もう一度、お腹の上に手を置いてください。深呼吸します。 もう一度 **Hello, how are you?** と言います。今度は腹筋を使って音を押し出します。 のどをリラックスさせて大きく開き、音を出してください。 これがプレゼン用の声です。

今度はお腹に手を添えて、簡単な自己紹介をしてみてください。深呼吸をするのを忘れないでください。 呼吸はあなたのプレゼンの声の燃料です。深く息を吸わないと、プレゼンの声の燃料が足りなくなります。

スキル 5 流暢さ

私が長年指導してきたプレゼン講座にはネイティブ・スピーカーとバイリンガルのスピーカーも何人かいました。中にはすばらしいプレゼンを行う方もいましたが、多くはひどいプレゼンでした。どうしてでしょう？　上手くできなかった人は致命的な間違いを犯していました。彼らは英語力さえあれば、プレゼンなんて何とでもなると高をくくっていたのです。彼らは英語が上手ければ、すばらしいプレゼンができると勘違いしていました。結果は大間違いでした。彼らのプレゼンは大雑把で、言いたいことを考えている間、長い沈黙があり、たくさん話している割に中身が乏しいものでした。彼らが流暢に英語を話せるネイティブ・スピーカーだったとしても、プレゼンにおける「流暢さ」とは何の関係もないのです。これこそがこのセクションで私が言いたいことです。

057

Good morning! Hi!...umm. You know... Ahh today... I just wanna talk a little bit about ummm our new product. Yeah. Ummm. Well... ahhh like umm this product has ummm 3 main features, you know. Like so,...the umm...first feature is ummm speed and ahhh speed is ummm...like...umm...

おはようございます！　こんにちは！　ええと…今日はああ…新製品について少しお話ししたいと思います。うん。うーん。ええと…ええと、ええと、この製品にはえーと、3つの主な機能があります。ええと…ええと…最初の特徴はええと速度であり、ええと速度はええと…ように…ええと…

ご覧のとおり、このプレゼンは流暢ではありません。多くのネイティブ・スピーカーと同様に、**umm**（うーん）や**ahh**（あー）、**like**（～のような）や**you know**（ご存知のように）をくり返すなど、よくない口癖をたくさん身につけてしまっています。ここで朗報です！　あなたが英語を母国語としない非ネイティブなら、あなたにはアドバンテージがあります。英語を話すとき、おそらくあなたは上記の話者のようなよくない口癖はないでしょう。逆に上記の話者はこれらの口癖を直すために努力しなければならないのです。

ネイティブ・プレゼンターのもう１つの弱点は次の点です。確かに彼らは内容が充実したプレゼンを準備することができるかもしれませんが、スライドを流暢に説明する能力を当然とみなして軽視する傾向があります。彼らは聞き手の身になって真剣に考えていないために、各スライドの内容をどういう風に説明すればよく伝わるかといった配慮にまで考えが及びません。その結果、彼らは聞き手ではなくスライドのほうを見ながら何を言うか考え、聞き手ではなくスライドに話しかけることになってしまうのです。これはまったくスムーズではありません。印象もよくないですし、自信なさげに見えます。進行ペースもよくありません。本来はプレゼンの最中ではなく、事前に段取りしておくべきなのです。ネイティブ・スピーカーだからといって、何の準備もなくスライドをスムーズに説明できるわけではないのです。

この際、あえて言います。多くのネイティブ・プレゼンターはプレゼンの途中になるまで、自分のプレゼンの「流暢さ」に問題があることにすら気づきません。あなたは「流暢さ」が自分にとってネックであることを最初から認識しているからこそ、あなたにはアドバンテージがあるのです。しっかりと事前に準備することで、スムーズなプレゼンを行うことができます。

「流暢さ」を鍛えるには？

「流暢さ」のカギを握るのは**IEITテクニック**（スライドの紹介・説明・解釈・トランジション）（p.139）です。プレゼン前にどこかに座ってプレゼンの各スライドについて考えましょう。

メモを取るとより集中できます。PowerPointのメモ機能を使ってもいいでしょう。右図はInstaEatsのプレゼンのスライドに対して作成したメモの例です。

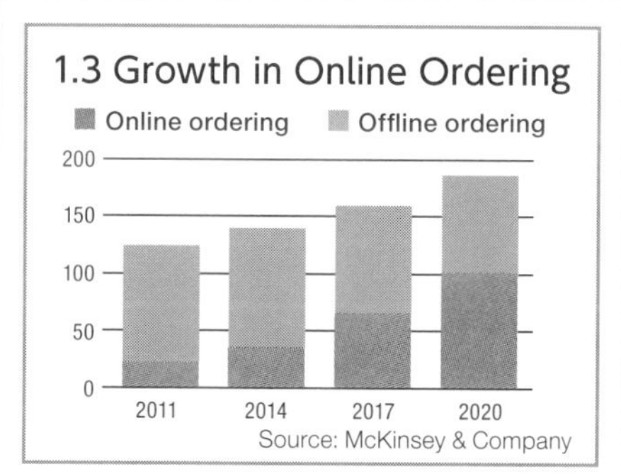

I : This bar graph shows...
E : This axis is... / This area is...
I : Key point: ... has passed offline /... growing industry.
T : But are we the best provider? Can we beat the competition?

I：この棒グラフは……を示しています。
E：この軸は……。／この領域は……。
E：重要な点は……がオフラインを上回ったことです。／……成長産業なのです。
T：しかし、我々は最高のプロバイダーなのでしょうか？
　競合に打ち勝つことができるでしょうか？

メモにはあなたが言いたいことを思い出すのに役立つキーワードだけを書き出し、文章を書くことは避けてください。次のように文章を書き出すのは NG です。

This bar chart shows the growth in online ordering.
This is online ordering and this is offline ordering.
This axis is money in billions of yen, and this axis is years.

この棒グラフは、オンライン注文の増加を示しています。
これはオンライン注文であり、これはオフライン注文です。
この軸は数十億円のお金であり、この軸は年数です。

覚えておく必要のある残りの情報はスライドに書いてありますから、**This bar graph shows...**（この棒グラフが示すのは……）、**This axis is... / This area is...**（この軸は……/ この領域は……）とメモするだけにしてください。今メモしたのはノート上にしか書いていない英語フレーズです。 必要な英語の一部はノート上にあり、残りはスライド上にあります。プレゼンではこの２つを組合わせるだけです。

ただし、第２章で解説したように、スライドとスライドをつなぐトランジションの英語は非常に重要です。ですから、スライドを説明する **IEIT**（スライドの紹介・説明・解釈・トランジション）のトランジション（p.147）に関する英語だけは文章で紙に書き出しておいてもいいでしょう（前ページ）。今から早速、それを実践してみてください。 右図は InstaEats プレゼンの別のスライドです。 あなたならノートにどんなキーワードをメモしますか？

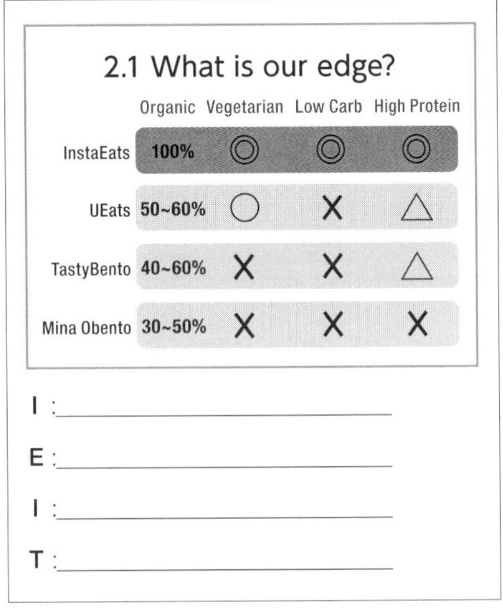

第3章のまとめ

おめでとうございます！　第3章が終了しました！　最後の第4章「ヴァーバル・メッセージ」に進む前に、この章で取り上げた内容を簡単なクイズで復習しましょう。

1	SLEEPの頭文字がそれぞれ何を意味するか覚えていますか？（わからない人はp.173）	○	×
2	フィジカル・メッセージの基盤となるスキルはどちらですか？（→p.174）	姿勢	アイ・コンタクト
3	プレゼンの姿勢は何のスポーツに似ていますか？（→p.174）	野球	ゴルフ
4	第一印象を良くするための4つのステップを覚えていますか。（→p.178）	○	×
5	効果的なアイ・コンタクトを取るための3つのステップは何ですか？（→p.179）	**1.** See **2.** Look **3.** Point	**1.** Catch **2.** Hold **3.** Release
6	ジェスチャーを使用する4つのタイミングを覚えていますか？（→p.182）	○	×
7	声の出し方としていくつのやり方を習いましたか？（→p.188）	3つ	4つ
8	声の出し方にとって適切な5つのタイミングを覚えていますか？（→p.191）	○	×
9	プレゼン用の声はどこから出しますか？（→p.194）	のど	腹
10	「流暢さ」のカギを握るのは何ですか？（→p.196）	事前の準備	英語力

The Verbal

第4章

ヴァーバル・メッセージ

第4章でわかる質疑応答のノウハウ

・質問に対処するときの3つのステップ

・質問に回答するときの7つのスキル

・事前に準備するときの4つのステップ

Message

"Short words are best..."

短い言葉こそが最高だ。

—— Winston Churchill ウィンストン・チャーチル（英国元首相）——

"Never tell what you can show."

見せられることを語ってはいけない。

—— Power Presentation パワー・プレゼンテーション ——

ヴァーバル・メッセージとは？

「英語力に関係なく、あなたは今すぐ良いプレゼンターになれる」というのがこの本の前提です。ここまでストーリー・メッセージ、ビジュアル・メッセージ、フィジカル・メッセージと見てきて、本全体を通して英語力に頼らないスキルの開発に取り組んできました。また口頭で話す英語のメッセージを最小限に抑え、できるだけシンプルな英語で話すための多くのテクニックも実践してきました。今まで取り上げたスキルやテクニックは次のとおりです。

1. 自己紹介は最小限にするか省略。あなたがスターなのではなく、あなたのプレゼンこそがスターなのです。(→ p.18)
2. あいさつを手短に済ませるときの 4 つのステップ（聞き手にあいさつし、名前を言い、キーパーソンに感謝し、プロットを提示する）(→ p.21)
3. プロットを作成するときの構文 :「手段 to 目的」(→ p.24)
4. フックをつけるときの英語スキル (→ p.27)
5. 第 4 部でプレゼンの弱点をフォローするときの 3 つのステップ（調子を変えて、弱点を正直に明かし、対処法を提示する）(→ p.72)
6. 第 5 部でプレゼンを締めるときのステップ（プロットをくり返し、主要ポイントや注目ポイントを説明する）(→ p.86、95)
7. IEIT テクニックを使って、シンプルな英語でスライドを説明する (p.139)

これらのスキルやテクニックを使用することで、プレゼン中の英語によるメッセージを大幅に簡略化し、最小限に抑えることができます。しかし、プレゼンの最後の部分にあたる質疑応答だけは英語を簡略化するのが困難です。

これには主に2つの理由があります。第1にプレゼンでは、コミュニケーションはあなたから聞き手への主に一方通行です。話の速度も展開も簡単に制御することができます。しかし質疑応答では、あなたと質問者の間で双方向のコミュニケーションが展開されるため、コミュニケーションの流れを制御することは不可能です。

第2にプレゼンの内容はあらかじめわかっていますが、尋ねられる質問は予想不可能です。プレゼンは事前に練習することができますが、質疑応答はその場で自然に起こるものであり、その場ですばやく質問に答えなければなりません。したがってこの本の最後の章では、質疑応答セッションで英語を話すときに役立つスキルやテクニックをご紹介します。

同じ質問に答える2人のスピーカーを比較することから始めましょう。あなたはどちらの回答がいいと思いますか？　またその理由は？

例1 プレゼンター①

Thank you! Are there any questions?
ありがとうございます！　質問はありますか？

Presenter 1

What do you think of the new training center?
新しいトレーニング・センターについてどう思いますか？

Questioner

Ahhhhhh...training center. Ummmmm. So....the training center is located ummm near the station.... and umm. Yeah. So...ummmm.
あああ…トレーニングセンター。うーん。そう…。トレーニングセンターは駅の近くにあります…。そしてうーん。うん。それで…うーん。

例2 プレゼンター②

Thank you! Are there any questions?
ありがとうございます！　質問はありますか？

What do you think of the new training center?
新しいトレーニング・センターについてどう思いますか？

The question is if I like the training center?
ご質問は私がトレーニング・センターが好きかどうかということですか。

Yes.　はい。

OK, the question is if I like the new training center. My answer is yes for two reasons.

First, I like the location, near Shin-Yokohama and the Shinkansen station. Please take a look at this slide. As I showed in my presentation, it is only 12 minutes by foot and about 5 minutes by taxi. This location makes it convenient for everyone in Japan.

Second, I like the training center because they recently installed Wi-Fi in all the classrooms. This makes it easy to do research during group activities. Does that answer the question?

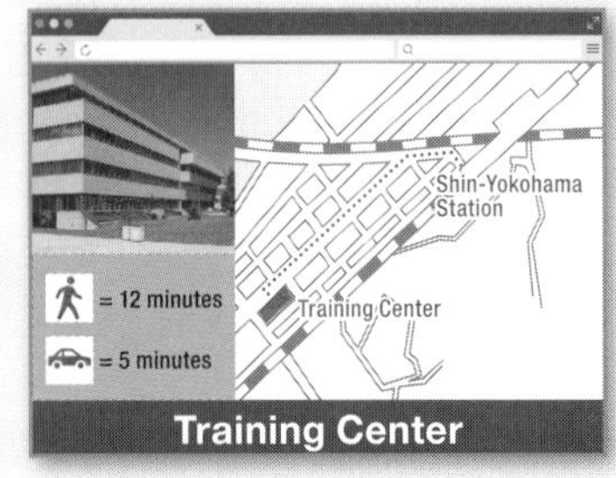

OK、ご質問は私が新しいトレーニングセンターが好きかどうかということでした。2つの理由から私の答えは「イエス」です。

まず私は新横浜と新幹線の駅に近いロケーションが好きなんです。このスライドをご覧ください。プレゼンで示したとおり、センターは徒歩でわずか12分、タクシーで約5分の場所です。この位置は日本にいる誰にとっても便利です。

2つ目は、最近すべての教室にWi-Fiが設置された点もトレーニング・センターを気に入っている理由です。これによってグループ活動中の研究が容易になりますから。質問の答えになりましたか？

Yes. Thank you.
はい。ありがとうございました。

Next question, please.
次の質問をお願いします。

どちらの例が良かったですか？　もちろん、2つ目ですよね。おそらく2つの理由があります。

1. プレゼンター②が質問に対処するときのテクニックが優れていた。
2. プレゼンター②が質問に回答するときの姿勢やスキルが好ましかった。

それぞれのテクニックとスキルについて、詳しく掘り下げていきましょう。

質問に対処するときの3つのステップ

テクニックがすべてです。例えばイチローを見てください。彼は他のメジャー・リーガーに比べて小さくてやせていますが、1つのシーズン中のヒットに関する記録のほとんどを保持しています。パワーと体の大きさを補うだけのテクニックがあるからです。同様に、質疑応答でもテクニックが重要です。上記のプレゼンター①は質疑応答で何をすべきかわかっていません。対してプレゼンター ②はすばらしいテクニックを披露してくれました。プレゼンター②が使った3ステップのテクニックを詳しく見ていきましょう。

ステップ 1 質問をくり返す、または言い換える

プレゼンター ①の例を覚えていますか？　彼は最初に何をすべきか、何と答えるべきか見当もつきませんでした。プレゼンター②はまず質問をくり返しました。このほうがはるかに良いスタートです。質問をくり返すのには、少なくとも3つの理由があります。

理由 1　誤解がないか、質問を確認するため

まず自分が質問を本当に理解しているかどうかを確認する必要があるからです。質問を完全に誤解したまま間違って質問に答えてしまうと、会場の誰もが混乱します。全員にとって時間の無駄ですし、自分自身も困るでしょう。

実際に起こり得ることを証明するために、私の体験談をお話ししましょう。私は新しい発電機についてのプレゼンを聞いていました。質問者は **What is the initial cost?**（初期費用はいくらですか？）と尋ねました。発表者は **Nothing**（何も）と答えました。高価な発電機でしたから、誰もが混乱しました。要領を得ないやり取りが数分間続いた後、プレゼンターはついに **What is the special cost?**（特別な費用は何ですか？）と聞かれたと勘違いしていたが、実際には質問は **What is the initial cost?**（初期費用はいくらですか）だったことにようやく気づきました。プレゼンターが質問を復唱して確認していれば、このような混乱は簡単に回避できたはずです。

もっとも、質問をそのままくり返すだけでは不十分な場合もあります。確認のために質問を言い換える必要がある場合がそうです。例えば上記の音声の例に戻って、質問者の意図を確実に理解するために、プレゼンター②は元の質問 **What do you think of the new training center?**（新しいトレーニングセンターについてどう思いますか？）を、**The question is if I like the new training center?**（ご質問は新しいトレーニングセンターが好きかどうかということですか？）と言い換えています。

理由 2　質問を会場と共有するため

第二に、質問をくり返すことで、質問を会場全体で共有することができるからです。大きな教室や講堂の後ろに大勢座っている大会場であなたがプレゼンしているのを想像してみてください。エアコンやプロジェクターのファンの音が響いていて、部屋は少しうるさいかもしれません。最前列の人がプレゼンターの目の前で、日常会話の声の大きさで質問します。壇上にいるあなたは質問を聞き取ることができますが、後ろの人には聞こえません。質問が理解できなければ、答えだけ聞いてもチンプンカンプンでしょう。

こういった場合、私はしばしばイライラします。私はNBAの大ファンなのですが、ステフィン・カリー（ステフ）のようなスター・プレーヤーの試合後のインタビューで記者はマイクなしで質問します。ステフ本人には質問が聞き取れても、私たちインターネット視聴者には聞こえません。ステフは次のように答えます。**Yeah, that was probably the case. He wasn't having a good game tonight.**（ええ。それは恐らくそういうケースかもしれません。彼は今夜良い試合をしていなかったから）。こんな時イライラしますよね！ ケースとは何なのか？ 良い試合をしていなかった彼とは誰なのか？ ステフ選手が話している内容がサッパリわかりません。もしステフ選手が質問をくり返してくれていれば答えを理解できたのに！ ですから、観客をガッカリさせないでください。プレゼン用の大きな声で質問をくり返し、質問を会場全体で共有しましょう。

理由3 考える時間を稼ぐため

第三に、質問をくり返している間に、考える時間を稼ぐことができるからです。プレゼンター①の例を覚えていますか？ 彼は本当にどう答えたらいいかわかりませんでした。彼には考える時間と落ち着く時間が必要でした。プレゼンター②は質問をくり返すことで、少し考える猶予を得ています。実際、プレゼンターは聞かれた質問を一度確認し、それをもう一度復唱することで考える時間を稼いでいます。これは、日本IBM、日立、東芝といったコンピュータ会社のプレゼン講座で私が受講者に教えたテクニックでもあります。あなたの脳のCPU（Central Processing Unit）は日本語のシステムで動作していますから、日本語環境でこそ迅速かつ効率的に実行されます。これが英語環境となると、処理速度が遅くなり、効果も低下してしまいます。ですから処理が追いつくためにもある程度の時間を稼ぐ必要があるのです。

ステップ1を要約すると、質問をくり返す理由は次の3つです。

1. 誤解がないか、質問を確認するため
2. 質問を会場と共有するため
3. 考える時間を稼ぐため

Column

聞かれている質問が理解できないときには？

非ネイティブの話者にとって、質疑応答での最も多い問題は恐らく「質問を理解できないこと」です。そこで、聞かれた質問がわからないとき、英語が聞き取れなかったときに役立つ４つのヒントをここに示します。

❶ わからないところを明確にしよう！

理解できなかった質問に漠然と Pardon?（もう一度言ってください）とだけくり返し聞き返す場面を私は何度も目にしてきました。 そういう消極的な姿勢ではなく、もう少し積極的にわからないところを明確にするところから始めましょう。 理解できなかった質問の箇所を特定してから、質問します。 例えば下記のようになります。

060

Could you repeat the part about (X)?
（X）についての部分をくり返していただけますか？

I didn't catch the part about (X).
Could you explain that in more detail?
（X）の部分が理解できませんでした。
詳しく説明していただけますか？

I didn't catch the last part of the question.
Could you repeat that?
質問の最後の部分は聞き取れませんでした。
もう一度言っていただけますか？

❷ スライドを活用しよう！

スライドを使用して、質問を明確にします。 質問のトピックがわかる場合はその内容をカバーするプレゼンのスライドを見つけ、そのスライドを参照しながら質問内容を確認してください。スライドを使用することで、たいていはその質問を明確にすることができます。

The question is about this slide?
質問はこのスライドについてですか？

061

The question is about this topic?
質問はこのトピックについてですか？

❸ 助けを求めよう！

助けを求めましょう。経験上、聴衆はとてもフレンドリーで親切で、プレゼンターの成功を願っています。質疑応答で問題が生じた場合は、サポートしてくれるでしょう。特に会議によっては、問題が発生した場合に介入してサポートしてくれるモデレーターがいる場合もあります。例えば次のように言うことができます。

I am sorry. I am not getting the question.
Can someone help?
ごめんなさい。質問がわかりません。
誰か助けてもらえますか？

062

❹ 次に進もう！

これらの戦略がすべて失敗した場合、最善の方法は次のステップに進んで質疑応答の時間を無駄にせずに1つの質問を明確にすることです。次に進むには、次のように言うことができます。

I am sorry, I can't catch the question now.
Could we talk about it after my session?
Thank you. Next question, please.
申し訳ありませんが、質問がわかりません。
私のセッションの後でそれについて話すことができますか？
ありがとうございました。次の質問をお願いします。

プレゼンター②は質問をくり返す際に下記の英語のパターンを使用していました。この質問のパターンは「間接疑問文」と呼ばれます。

▶どうやって質問をくり返すか？

文頭	名詞節の if	主語	動詞	目的語 / その他
The question is	if	I	like	the training center.

● 直接疑問文と間接疑問文の比較

	直接疑問文	間接疑問文
1	Do you like your job?	The question is if I like my job?
2	Where do you work?	The question is where I work?
3	How long have you been working there?	The question is how long I have been working there?
4	How many days a week do you work?	The question is how many days a week I work?

1.あなたの仕事は好きですか？／ご質問は自分の仕事が好きかどうかですが？
2.どこで働いていますか？／ご質問は私がどこで働いているかですが？
3.あなたはそこでどのくらいの時間働いていますか？／ご質問は私がそこに勤務している期間ですか？
4.週に何日働いていますか？／ご質問は私が週に何日働くかですか？

英語の日常表現でもよく使われますから直接疑問文の形には慣れている方も多いでしょう。間接疑問文の場合、直接疑問文とは少し語順が異なり、主語が動詞の前に来ます。以下でちがいを確認してください。

ロールプレイ 1

ここで簡単なロールプレイをしましょう。あなたはたった今プレゼンを終えたところです。次のページの表内の左側は質疑応答で尋ねられる質問です。直接疑問文の形式で聞かれた質問を、間接疑問文で聞き返しましょう。

「The question is ＋ if ＋主語＋動詞＋目的語」の形式を使います。

	質問者 (直接疑問文)	プレゼンター（間接疑問文）
1	When can you deliver?	?
2	What is the price range?	?
3	What is the main advantage?	?
4	Is there a discount for large orders?	?
5	How long is the warranty?	?
6	What is the impact on the environment?	?
7	Can we have free samples before the release date?	?

1. いつ配達できますか？
2. 価格帯はどれくらいですか？
3. 主な利点は何ですか？
4. 大量注文した場合の割引はありますか？
5. 保証期間はどれくらいですか？
6. 環境への影響はどれくらいですか？
7. リリース日の前に無料サンプルを入手できますか？

音声を聞きながら答えを確認してください。 Yes か No かを尋ねる質問では「if」が疑問文に使われることに注意してください。

064

1. The question is when we can deliver?
ご質問はいつ納品できるかということですか？

2. The question is what the price range is?
ご質問は価格帯がいくらかということですか？

3. The question is what the main advantage is?
ご質問は主な利点は何かということですか？

4. The question is if there is a discount for large orders?
ご質問はLサイズの注文には割引があるどうかということですか？

5. The question is how long the warranty is?
ご質問は保証期間がどれぐらいかということですか？

6. The question is what the impact on the environment is?
ご質問は環境への影響がどれぐらいかということですか？

7. The question is if we can have free samples before the release date?
ご質問はリリース日の前に無料サンプルが手に入るかということですか？

上記のように直接疑問の質問を間接疑問に変えて聞き返すのは時間もかかるし、面倒だという方は **The question is about "A"?**（ご質問は A についてですか？）とだけ聞き返せば OK です。 このほうが簡単で時間も節約できます。

質問者 (直接疑問文)	プレゼンター（間接疑問文）
When is the release date?	The question is about the release date?

リリース日はいつですか？／ご質問はリリース日についてですか？

ロールプレイ 2

別のロールプレイをしましょう。 同じ質問ですが、今度は「The question is about "A"」のパターンで質問を聞き返してみましょう。

	質問者 (直接疑問文)	プレゼンター（間接疑問文）
1	When can you deliver?	?
2	What is the price range?	?
3	What is the main advantage?	?
4	Is there a discount for large orders?	?
5	How long is the warranty?	?
6	What is the impact on the environment?	?
7	Can we have free samples before the release date?	?

音声を聞きながら答えを確認してください。

065

1. The question is about delivery?
ご質問は配達についてですか？

2. The question is about the price range?
ご質問は価格帯についてですか？

3. The question is about the main advantage?
ご質問は主な長所についてですか？

4. The question is about a discount (for large orders)?
ご質問は（Lサイズの注文に対する）割引についてですか？

5. The question is about the warranty?
ご質問は保証についてですか？

6. The question is about (the impact on) the environment?
ご質問は環境（への影響）についてですか？

7. The question is about free samples (before the release date)?
ご質問は（リリーズ日前の）無料サンプルについてですか？

ステップ 2 全員の顔を見る

先ほどの例は音声だけだったのでプレゼンター①の方のアイ・コンタクトを確かめることはできませんが、おそらく質問者とだけとアイ・コンタクトを取っていたでしょう。しかし、それのどこが悪いのでしょう？　質問者を見るなと？　いいえ、もちろん質問者を見るべきです。しかし質問者だけ見ていてはいけません。２つの理由で会場全員の顔を見渡す必要があります。

理由 1 質疑応答もまたプレゼンの一部だから

第１に質疑応答もまたプレゼンの一部だからです。フィジカル・メッセージでは会場の全員とアイ・コンタクトを取ることが重要であると強調しました。したがって質疑応答でも質問者を含むすべての人とアイ・コンタクトを取るように取り組む必要があります。あなたはそうすることで質問をコントロールできます。そうして会場全体にあなたの答えを届けましょう。

理由２ 質問者との衝突を避けるため

第二の理由は、質問者との衝突を避けるためです。私たちは霊長類です。霊長類にとって（長時間の）アイ・コンタクトは「挑発」の証です。私のセミナーではよく、ハイキングに行くのが好きな人が何人いるかを尋ねます。通常、数人が手を挙げます。それから彼らにどんな動物に会うのかを尋ねます。通常、少なくとも１人がサルに言及します。次に成体のオスのサルとアイ・コンタクトを取ることが得策かどうかを尋ねます。決まって「やめたほうがいい」という答えが返ってきます。サルのいる場所でハイキングをする人は大体、オスのサルが長時間のアイ・コンタクトを「自分への挑発」と解釈することを知っています。質問者だけを見つめ続けることで、不覚にも質問者を挑発し、不快感を与えないようにご注意ください。質問者だけでなくほかの来場者の顔も見てください。質問者があなたに賛同しないことがわかっている場合、特にこれが重要です。質問者をじっと見ないようにすることで衝突を避け、状況を緩和しましょう。ただし、質問者を完全に無視してしまってはいけません。質問者にも他の聞き手と同程度のアイ・コンタクトは取る必要があります。例外は質問者がプレゼンの成否に関わるキーパーソンである場合です。キーパーソンとは常により多くのアイ・コンタクトを取る必要がありますが、ずっと凝視すべきではありません。他の方よりもキーパーソンに視線を送りつつ、一方で会場の全員の顔を見回すようにしてください。

「全員の顔を見る」といっても、口で言うほど実行するのは簡単ではありません。そもそもそれは非常に稀有で不自然な行為なのです。例えば、私とあなたがスターバックスでコーヒーを飲んでいて、プレゼンの経験についてお伺いしたとします。あなたは質問をくり返すことなく、混雑したスターバックスのすべての客の顔を見てから答えたとします。他の客の顔を見ながら答えられたら私を避けているような感じがしますし、答えるのが不快なのか、何かやましい所があるように思ってしまいます。日常生活で質問者から目をそらし、質問をしていないほかの人々の顔を見ながら質問に答えることは非常に失礼で不自然な行為なのです！　しかし、プレゼンではそれを実行しなければなりません。心してください！　ステップ２の「全員の顔を見る」は、極めて集中力と練習が必要なスキルなのです。

ステップ 3 自信たっぷりに終える

もう一度 p.203 ～ 204 述べたプレゼンター①と②の例に戻りましょう。プレゼンター 1 はどのように終了しましたか？　彼は終了しませんでした。彼はただ茫然と立ち止まり、時が過ぎ去るのを待ちました。次に何と答えたものかと思案しているのか、質問者が何かを言うのを待っているのか、他の誰かが質問するのを待っているのか判別できませんでした。プレゼンター②は質問に回答し、質問者が満足したかどうかを尋ね（**Does that answer the question?**　質問の答えになりましたか？）、質問者に感謝し、自信をもって進んでいます（**Next question, please**　次の質問をお願いします）。

通常、私は生徒に英語フレーズの暗記をすすめません。しかし、ここでは例外的に「自信をもって質疑応答を終えるための 3 つのフレーズ」を示します。

066

1. Does that answer the question?
質問の答えになりましたか？

くれぐれも **Are you OK?**（大丈夫ですか？）とは尋ねないでください。これではまるで質問者がケガをしているか、ケガの具合を確認しているようです。

2. Thank you! ありがとう！

短く、シンプルに！

3. Next question, please! 次の質問をどうぞ！

3 つ目のこのフレーズを使うことで、いかにも自信があるように聞こえるのでおすすめです。疑問形ではなく、リクエストの形で答える点がミソです。自信をもって「さあ、私は質問が大好きです。質問がほしいです！　次の質問をください！」といったニュアンスでしょうか。疑問形でおずおずとためらいがちに **Are there any other questions?**（ほかに何か質問はありますか？）と答えるのとでは雲泥の差でしょう。

ステップ３のもう１つの隠れた要素は、質疑応答のコントロールです。プレゼンター①は非常に受け身で、質問者が次に何かを言うのを待つか、ほかの誰かが質問するのを待っていました。そうするのはやめてください！　受け身ではいけません！　質疑応答の場をコントロールしてこそ優秀なプレゼンターです。回答した後で「①現在の質問者と会話を続けるか、②別の質問者と新しい会話を開始するか」の決定を下す必要があります。

質問されたトピックがプレゼンの成否に関わる重要な場合は、**Does that answer the question?**（それで質問の答えになりましたか？）と丁寧に確認することで、その質問者との会話を続行することができます。あるいは質問者がキーパーソンで、プレゼンの成否をその人物が握っている場合はそのまま会話を続けましょう。

一方、質問者がトピックに関する知識を披露して聞き手を感動させようとする非常におしゃべりな人物である場合は、質疑応答の時間を彼に独占されないように配慮する必要があります。経験上、質問者が若い方の場合、そのようなことが起こりがちです。彼らは自分の知識を上司に見せ、アピールしたいと考える傾向がありますから。質疑応答の時間がなくなるまで彼らはあなたに次々と質問するかもしれません。おしゃべりな方が質疑応答の時間を独占しないように注意していください。こうした場合は質問に答えた後で質問者のほうを見ないでください。**Does that answer the question?** と確認する必要もありません。 **Next, question please**（次の質問をお願いします）と言って先に進んでください。１人や２人の方が質疑応答の時間を独占するのは、他の聴衆にとって公平ではありません。あなたがすばらしいプレゼンを行った場合（私はそうなると信じています！）、質問が殺到するはずです。多くの人々、特にその場のキーパーソンに質問する機会を与えるのはあなたの責務なのです。

くり返しますが、回答した後で決定を下す必要があります。質問内容や質問者の意図から判断して、会話を続けるか（**Does that answer the question?**）、次に進む（**Thank you! Next question, please!**）かどうかを決めてください。

質問に回答するときの7つのスキル

この3つのステップで質問に答えるためのテクニックがわかったので、質問に回答する際のスキルについての解説に移ります。どんな姿勢で質問に答え、何を言うべきか。「質問に回答するときの7つのスキル」を次に示します。

スキル 1 単刀直入に答える

プレゼンター②は常に明確な答えを出していました。まず最初から明快に、Yes（はい）と答えていました。日本IBMのマネージャー向けのプレゼンセミナーでも私は常にこの点を強調してきました。回答は単刀直入であるべきです。YesかNoか、ハッキリさせてください。

スキル 2 質問に対して正確に答える

プレゼンター②は単にYesと答えただけではありませんでした。Yesだけでは、**Do you like the new training center?**（新しいトレーニングセンターが好きですか？）という質問に対して完全な回答にはなっていません。これでは質問や質問者を尊重した態度とは言えませんし、質問を貶めていると言ってもいいかもしれません。一言だけで済ませると、「大した質問ではなく、まともに答えるのは時間の無駄で、一言で答えるだけの価値しかない」というメッセージになってしまいます。その点、プレゼンター②は、数字と具体例を列挙し、理由まで添えて正確に答えていました。ですから、聞かれた質問に正確に答えることで質問を尊重し、その価値に見合った時間と関心を与えることで、質問者のことも尊重してください。

スキル 3 回答内容を予告する

回答内容を前もって予告しましょう。プレゼンター②は、回答の冒頭で2つの理由があることを宣言しました（→ p.204）。理由が2つある場合、最初にそうキッパリと宣言してください。言いたいことが3つある場合は、最初にそう予告します。自分が言いたいことを思い出すのにも役立ちますし、聞き手側もあなたの回答を予測しながら聞くことができます。また回答を予告することで、トピックに精通した、いかにも専門家らしく聞こえます。

スキル 4 スライドを参照する

質問に回答する際にスライドを活用しましょう。この本が提唱する「パワー・プレゼンテーション」戦略の神髄は「言葉だけで伝えようとせず、ビジュアルで表示すること」でした。プレゼンター②がプレゼンの際に使ったスライドを再び参照し、質問に答えるためにトレーニングセンターの場所を示したことを思い出してください。スライドを参照することで、プレゼンの主要ポイントを再び強調する機会にもなります。PowerPoint と Keynote には質疑応答の際にスライドをナビゲートするのに役立つ非常に気の利いた機能があります。プレゼンの 3 番目のスライドに戻りたいときは「3」を押して Enter キーを押すと 3 番目のスライドに戻ります。

スキル 5 数値と具体例を挙げる

ストーリー・メッセージの章では数値と具体例の価値について強調しました（p.34）。質疑応答もプレゼンの一部ですから、同じ原則が適用可能です。数値と具体例を使って具体的に答えましょう。プレゼンター②は **12 minutes by foot**（徒歩 12 分）、**5 minutes by taxi**（タクシー 5 分）と具体的に答えることで、アクセス至便であるという自身の主張を補強していました。

スキル 6 メリットや重要性を説く

ストーリー・メッセージの章の第 1 部において、プレゼンのプロットを説明するときに目的や成果を強調することの重要性について簡単に説明しました（p.25）。数字と具体例は重要ですが、数字や具体例の文脈や意味合いを強調する必要があります。なぜそれが聞き手とって重要なのか？　それらはどのような成果をもたらすか？　プレゼンター②は下図のように数値・具体例と成果との間の明らかな相関関係を示していました。

数値・具体例	メリット
徒歩12分、タクシー5分 →	アクセス至便
全教室にWi-Fi完備 →	グループ活動での研究が容易

スキル 7 先送りして後で質問に応える

質問の答えがわからない場合はどうすべきでしょうか？　正直に、率直に答えるべきです。今はわからないが、回答を見つけ出して後で答えると質問者に伝えましょう。次のように言うのも１つの方法です。

067

I'm sorry I don't have the details on that.
If you leave me your contact information,
I will get back to you. Thank you. Next question, please!

申し訳ありませんが、詳細はわかりません。
連絡先情報を残していただければ、折り返しご連絡いたします。ありがとうございます。次の質問をどうぞ！

経験上、ここには文化的な側面があります。日本人の発表者は、答えがわからないけれどもとにかく答えなければならないという場合、恥ずかしいと感じて慌ててしまう傾向があります。しかし、英語圏ではプレゼンターが信用や信頼に値する人物なのかどうかを見定めるために質問することがよくあります。その場合、正直に **I don't know**（わからない）と答えることができる人物のほうがむしろ信頼されることがよくあります。ビジネス関係は信頼の上に成り立つので、オープンで正直かつ単刀直入にものを言う人物のほうがより良いパートナー関係を築けると、英語圏では信じられているからです。

事前に準備するときの4つのステップ

ここまで質問に対処するときの３ステップのテクニックと、質問に回答するときの７つのスキルについて解説してきました。質疑応答で成功するための最後の戦略は、どうやって事前に準備するかです。

すべてのプレゼンター、特に非ネイティブのプレゼンターにとっての大きな課題の１つは、どのような質問が飛んでくるか事前にわからないことです。ただし、聞き手のことを知っていてトピックにある程度精通している場合は聞き手が尋ねそうな質問を推測することができます。ここでは、質疑応答の準備をするためのテクニックを４つのステップで示します。

ステップ 1 想定質問を考えよう！

各スライドを確認しながら、聞き手のことを思い浮かべてください。聞き手が尋ねそうな想定質問を少なくとも２つ書き出してください。

ステップ 2 想定質問に対する回答を用意しよう！

想定質問のリストを作成したら、質問ごとに回答を書き出しましょう。

ステップ 3 回答ごとに予備のスライドを用意しよう！

回答ごとに簡単な予備のスライドを用意しておきます。わざわざ予備のスライドまで用意して聴衆の質問に答えることができれば感激されるでしょう。あなたがトピックに本当に精通していて、準備万端だと思われること間違いなしです。

ステップ 4 想定質問に答える練習をしよう！

想定質問のリストを友人や同僚に渡して、質問してもらいましょう。予備のスライドを使って質問に答える練習をしてください。私はかつてキヤノンのセミナーでこの練習を行い、販売業者に新製品を紹介するプレゼンターをコーチしたことがあります。

演習 事前に準備するときの4つのステップを実践！

あなたのプレゼンの場合について考えてください。すでにスライドも作成している場合はそのスライドを活用してください。

1. 各スライドについて、少なくとも２つの想定質問を考えてください。
2. 想定質問に対する回答を考えましょう。
3. 回答に使用する予備のスライドをイメージしてください。
4. 仕上げとして想定質問に答える練習をします。

聞かれた質問をくり返し、確認することも忘れないでください。第２章で解説したIEIT（紹介・説明・解釈・トランジション）テクニックを使ってスライドを説明しましょう。スライドを発表するときにみんなが見ていると想像してください。**Does that answer the question? Next question, please.**（これで質問の答えとなりましたか？　次の質問をお願いします）と自信たっぷりに言って締めましょう。

第4章のまとめ

1	質問に対処するときの３つのステップを覚えていますか？（わからない人はp.205）	○	×	わからない
2	質問を聞き返したほうがいい３つの理由を覚えていますか？（→p.206）	○	×	わからない
3	質疑応答でアイ・コンタクトを維持することが重要である理由を覚えていますか？（→p.213）	○	×	わからない
4	質問が理解できないときの対処法を覚えていますか？（→p.208）	○	×	わからない
5	間接疑問文の活用法を覚えていますか？（→p.210）	○	×	わからない
6	「はい」または「いいえ」だけで質問に対する完全な回答と言えるでしょうか？（→p.217）	○	×	わからない
7	質疑応答に対する準備方法を覚えていますか？（→p.219）	○	×	わからない

これで免許皆伝です

おめでとうございます！　以上で IBM Japan、Canon、Hewlett Packard、Hitachi、Komatsu などの会社で 2 日～ 3 日間にわたる「パワー・プレゼンテーション」セミナーを無事終了した何百人もの受講者、および東芝のグローバルプレゼンコースを修了した受講生に匹敵するだけの情報と知見をお伝えしました。これで、優れたプレゼンを行うために知っておく必要のあることはすべてお話ししました。

あなたが行う次回のプレゼンに備え、心に留めておくべきことを最後にまとめましょう。最も重要なのは「英語力はプレゼンのほんの一部の要素に過ぎない」ということです。英語力そのものよりも、ストーリー、ビジュアル、フィジカルという他の３つのメッセージのほうがはるかに重要です。最後に各メッセージの重要性を再確認しておきましょう。

▶ストーリー・メッセージ

何よりも聞き手を退屈させないでください！　魅力的なストーリーこそ、プレゼンを興味深く劇的なものに変えてくれます。強力な筋書きと興味深いフックを駆使して、第 1 部の冒頭から聞き手の注意を引くようにしてください。 第 2 部では、数値と具体例を盛り込んで、あなたの製品･サービス･計画･アイデアについて具体的に伝えましょう。 第 3 部では、比較することであなたのアイデアが他に勝ることを証明します。第 4 部では、大胆にもあなたの製品･サービス･計画･アイデアの弱点についても言及し、対処法を説明します。そして、シンプルにまとめて第 5 部を力強く、自信たっぷりに締めくくりましょう。

▶ビジュアル・メッセージ

One picture is worth a thousand words.（1 枚の絵は千の言葉に値する）という言葉を忘れないでください。この本で説いてきた「パワー・プレゼンテーション」の極意は、言葉で話すことではなく、イメージで示すことです。ただの単語の羅列をイメージ（グラフ、図、写真、フローチャートなど）に変えましょう。

▶フィジカル・メッセージ

良い姿勢こそがフィジカル・メッセージの基盤であることを忘れないでください。聞き手からフィードバックを得るためにアイ・コンタクトを使用してください。ジェスチャーを交えながら話すことで、話す英語をサポートし、わかりやすくし、場合によってはあなたが話す英語の代わりに必要な情報を届けることができます。声の抑揚をつけ、変化を加えて、プレゼンのどの部分に注目してもらいたいかを聞き手にアピールしましょう。

▶ヴァーバル・メッセージ

言葉の力だけに頼らず､スライドを使って説明してください。IEIT テクニックを使用して、スライドを通して聴衆をガイドしましょう。質疑応答の準備も忘れずに。トピックについて精通していれば、聞き手が尋ねそうな質問をほぼ想定することも十分可能なはずです。

ぜひすばらしいプレゼンを行ってください！

※QRコードを読み込むと、各章ごとにチャールズ・ルボー先生からのメッセージを聞くことができます。

Charles LeBeau（チャールズ・ルボー）

シカゴ大学で修士号を取得後、1982年に来日。日本では最初に三井造船に4年間務めた後、東芝の国際研修センターで30年間勤務。ビジネスと教育の両分野で活躍。大ベストセラーとなった*Speaking of Speech*を始め、プレゼンテーションやディベート、討論に関する教科書をいくつも執筆している。現在は明治大学のACEプログラムでプレゼンテーションや批判的思考について教えている。日本の横浜とアメリカ、オレゴン州のユージーン市が現在の活動拠点。ジャズ・ミュージシャンになるのが幼少期の夢だったという。

英語プレゼン 最強の教科書
Power Presentation

著者：チャールズ・ルボー

2020年8月5日　初版第1刷発行

校正：高橋清貴
装丁：松本田鶴子
写真・イラスト：iStockphoto、Wikipedia、あべゆきこ

発行人：坂本由子
発行所：コスモピア株式会社
〒151-0053 東京都渋谷区代々木4-36-4 MCビル2F
営業部：Tel: 03-5302-8378 email: mas@cosmopier.com
編集部：Tel: 03-5302-8379 email: editorial@cosmopier.com

http://www.cosmopier.com/（会社・出版物案内）
https://e-st.cosmopier.com/（コスモピアeステーション）

印刷・製本／シナノ印刷株式会社
音声制作／メディアスタイリスト
音声編集／門間朋之

本書のご意見・ご感想をお聞かせください！

本書をお買い上げいただき誠にありがとうございます。
今後の出版の参考にさせていただきたいので、ぜひ、ご意見・ご感想をお聞かせください（PCまたはスマートフォンで下記のアンケートフォームよりお願いいたします）。

アンケートにご協力いただいた方のなかから抽選で毎月10名の方に、コスモピア・オンラインショップ（https://www.cosmopier.net/shop/）でお使いいただける500円分のクーポンを差し上げます。
（当選メールをもって発表にかえさせていただきます）

アンケートフォーム
https://forms.gle/gZSrTur4YT9GrpXq6